LE Français
à Grande
Vitesse

COURS INTENSIF POUR DÉBUTANTS

S. TRUSCOTT – M. MITCHELL
B. TAUZIN

Professeur à l'Alliance Française de Paris

HACHETTE
Livre

Français langue étrangère

Crédits et remerciements :

Berlitz 99 - J. Allan Cash 54, 72, 97 - C.C.E.A.A. 98 - Thomas Cook 143 - Femme actuelle 120 - Keith Gibson 9
10, 11, 17, 18, 19, 20, 47, 61, 67, 78, 79, 88, 99, 100, 115, 128, 129, 135, 138 - The Hutchison Library 69
(Gérard) - I.N.S.E.E. (Tableaux de l'Économie Française 93/94) 42, 84, 96, 114, 134 - Jerrican 101 (Berenguier),
71 (Chandelle), 28 (Daudier), 88 (Dubuc), 117 (Gaillard), 42 (Gente), 16hd, 33 et 34 (Gordons), 16bd et 25
(Labat), 27 et 28h (Lainé), 47 (Lerosey), 127 (Le Scour), 121 (Limier), 16g (Perquis), 118 et 134 (Sittler), 153
(Wallet) - Mairie de Louviers 158 - Campagne FLO 1993 Agence Mc Cann (photo : P. D. Casteran) 76 - Offices
des Migrations Internationales 26 - R.A.T.P. 108 - Codes Rousseau (1994) 104 - S.N.C.F. 43, 51 (Montchanin),
52, 155, 156, 157 - Sphère S.A. 146 - Sport 2000 86 - Stills 21 - Vidocq Photo Library/Graham Bishop 66, 84,
103, 105, 106, 107, 109 - Toby Hotels 47 (S. Harding)

Conception graphique et réalisation maquette PAO : O'LEARY

Conception couverture : GUYLAINE MOI

Photos couverture : DIAPHOR/BRAVOT - SNCF CAV J.-J. D'ANGELE)

Pictogrammes et illustrations : LAURENT RULLIER 12, 13, 35, 46, 49, 50, 56, 58, 73, 79, 82, 89, 90,
109, 117, 119, 122, 123, 126, 130.

ISBN 2.01.020322.4
Talking Business French © ST (P) Ltd. 1992
Édition originale par Stanley Thornes (Publishers) Ltd.,
Cheltenham, Angleterre, 1992

Le français à Grande Vitesse © HACHETTE LIVRE, 1994
79, boulevard Saint-Germain F-75006 Paris

INTRODUCTION

Vous êtes en situation professionnelle ou en cours de formation à la vie active.

Vous avez besoin d'une formation intensive en français ou d'une remise à niveau (votre français n'étant plus qu'un lointain souvenir) dans le cadre de votre fonction actuelle ou future.

Vous avez un bon niveau de formation, une forte capacité d'abstraction, de réflexion et de conceptualisation. Vous pouvez donc démarrer très vite dans l'étude d'une langue étrangère et maîtriser assez rapidement des compétences de base, à l'écrit comme à l'oral.

Mais vous ne trouvez aucune méthode prenant en compte ces aspects.

Les matériels existants sont tous destinés à l'enseignement secondaire ou universitaire, et donc trop généralistes, ou au contraire très ciblés professionnellement, et donc trop spécialisés.

LE FRANÇAIS *à* GRANDE VITESSE peut répondre à vos attentes.

LE FRANÇAIS *à* GRANDE VITESSE vous assure d'un apprentissage **rapide** et **efficace**.

Rapide, parce qu'avec un livre unique, ce cours intensif vous mène en 150 heures environ à un niveau généralement atteint par 2 tomes d'une méthode prévue pour une utilisation en contexte scolaire. 150 heures, c'est 4 semaines à raison de 8 heures par jour. Mais vous pouvez adopter, bien entendu, un rythme mieux adapté à vos contraintes.

Efficace car placés dans des situations réelles, vous serez capable de vous entretenir sur des sujets courants vous concernant, de participer à des conversations simples, y compris téléphoniques, de réagir en français à des situations professionnelles et paraprofessionnelles (parler d'un programme de voyage d'affaires, réserver une chambre d'hôtel, établir des contacts avec des clients, passer une commande, ouvrir un compte en banque…), de comprendre et de pouvoir utiliser des documents usuels (horaires, plans, menus, prescriptions médicales, publicités, messages et documents professionnels…), de rédiger des écrits simples…

LE FRANÇAIS *à* GRANDE VITESSE vous propose de suivre une démarche simple et réaliste.

• La progression s'appuie sur des dialogues qui mettent en scène des personnages en situations de travail. Le choix des situations a été fait en fonction des besoins de la vie professionnelle et de la vie quotidienne, en milieu francophone, sans privilégier une langue de spécialité. Il vise à vous impliquer dans votre apprentissage, voire à ce que vous vous identifiiez aux personnages.

Si l'approche communicative est dominante, chaque unité assure une progression lexicale et grammaticale. Les objectifs langagiers sont clairement définis en tête de chaque unité. C'est, en quelque sorte, un contrat d'apprentissage qui vous est proposé à chaque nouvelle unité.

• Cet apprentissage prend appui sur ces dialogues enregistrés, mais aussi sur de nombreux documents écrits, le plus souvent authentiques.

Les **dialogues** servent de point de départ et de modèle pour un réemploi des structures langagières. Pour chaque dialogue, le **vocabulaire** nouveau et les **phrases clés** sont recensés. Les **jeux de rôles** qui suivent les **activités d'application** vous laissent une plus grande autonomie à la production orale. Dans chaque unité, un travail de **phonétique** vous permet de percevoir et de différencier quelques sons et de découvrir le rythme et l'intonation du français. Après une synthèse des points de **grammaire** abordés dans l'unité, des **notes culturelles** vous proposent quelques «modes d'emploi» et commentent certaines réalités de la vie française.

LE FRANÇAIS *à* G RANDE V ITESSE met à votre disposition un ensemble pédagogique complet et autonome.

Outre ses **15 unités**, ce **manuel** vous propose un tableau synoptique des **contenus**, la **transcription** des exercices de compréhension orale dont le texte ne figure pas dans les unités, un tableau de synthèse des **actes de parole**, un **précis grammatical** et un **lexique multilingue.**

Trois cassettes, reprenant tous les dialogues, des exercices de compréhension orale, la phonétique et la grammaire, vous permettent de travailler en groupe, mais aussi de reprendre individuellement, à votre rythme, les structures et notions que vous jugez nécessaire d'approfondir.

Un **guide pédagogique** propose à l'enseignant une introduction méthodologique ainsi qu'une exploitation de chaque unité.

LE FRANÇAIS *à* G RANDE V ITESSE n'a qu'un seul objectif : vous rendre capable de travailler en français le plus rapidement et le plus efficacement possible.

SommairE

CONTENUS

UNITÉS	OBJECTIFS LANGAGIERS	GRAMMAIRE	NOTES CULTURELLES
unité 1 Enchanté	Se présenter Saluer les autres Dire qui on est Dire quelle est sa nationalité Dire quelle est sa profession Dire où on habite	Le pronom personnel sujet Le présent des verbes en -ER Le présent de *avoir* Le présent de *être* L'article défini L'article indéfini Le pluriel des noms L'adjectif qualificatif (place, masculin/féminin) L'adjectif *nouveau*	Comment saluer
unité 2 Quel est votre nom ?	Dire son nom Comprendre des renseignements personnels sur les autres Parler de sa famille Comprendre les autres parler de leur famille Compter de 0 à 30	Le verbe pronominal au présent : *s'appeler* L'adjectif possessif L'interrogation (*qui ? quand ? où?*)	La direction d'une entreprise française
unité 3 Je voudrais réserver…	Réserver une chambre d'hôtel Compter de 31 à 60 Dire et comprendre des numéros de téléphone Dire les dates	Le présent des verbes en -RE : *attendre, prendre*	Téléphoner en France
unité 4 Ils arrivent	Parler d'un programme de voyage Dire les dates Lire et comprendre les horaires	L'interrogation (avec ou sans inversion du sujet) *Combien ? Est-ce que ? Qu'est-ce que ?* Le présent de *pouvoir, venir, partir*	Les congés en France
unité 5 Deux allers simples	Acheter un billet de train Comprendre les horaires de train Comprendre et donner des directions Discuter avec des personnes de rencontre Compter de 60 à 1 000	L'adjectif indéfini *tout* La préposition *à* + article défini La préposition *depuis* La négation (*ne ... pas*) Le présent des verbes en - IR : *finir*	Prendre le train en France

UNITÉS	OBJECTIFS LANGAGIERS	GRAMMAIRE	NOTES CULTURELLES
unité 6 Voilà votre clef	Se faire enregistrer dans un hôtel Demander des renseignements sur les équipements de l'hôtel Dire l'heure Demander des renseignements sur les habitations en France Dire ce qu'on aime et ce qu'on n'aime pas	La préposition *de* + article défini Le pronom démonstratif : *celui-ci, celui-là, celle-ci, celle-là* L'adjectif démonstratif (*ce, cette, ces*) L'adjectif qualificatif (masculin/féminin, singulier/pluriel) L'adjectif en -ER L'adjectif en -EUX L'adjectif *beau* L'adjectif placé avant le nom	Les chambres de commerce
unité 7 Qu'est-ce que vous prenez ?	Réserver une table au restaurant Commander un repas au restaurant Commander une consommation dans un café Dire ce qu'on aime et ce qu'on n'aime pas	L'article partitif (*du, de la, des*) Le passé composé avec *avoir* des verbes réguliers et des verbes irréguliers (*prendre, boire*) La formation des participes passés Le pronom complément d'objet direct (*le, la, les*)	Les Français à table
unité 8 Chèques ou espèces ?	Commander des chèques de voyage Demander le taux de change Demander l'ouverture d'un compte en banque	L'infinitif du verbe Le verbe suivi d'un infinitif (*vouloir, pouvoir, falloir*) Le futur proche avec *aller* L'adjectif possessif (*votre/vos, notre/nos*)	La banque en France
unité 9 En ville	Acheter des cadeaux Acheter des vêtements Demander son chemin Parler au futur	L'impératif présent Le présent de *faire* La forme impersonnelle (*il fait...*) Le futur des verbes réguliers Le futur des verbes irréguliers (*être, avoir, venir, pouvoir, vouloir*) La négation (*ne ... plus, ni ... ni ..., ne ... rien*)	La consommation des Français
unité 10 Bonne route !	Demander de l'essence dans une station-service Obtenir les services d'un garage Comprendre les signaux routiers Passer la douane	Le passé composé avec *être* (verbes de mouvement et verbes pronominaux)	Conduire en France
unité 11 Si on allait à Paris ?	Trouver une direction dans le métro parisien Comprendre des documents touristiques Comprendre des renseignements sur les transports français	*Connaître* et *savoir* La construction verbale avec la préposition *de* Le pronom démonstratif *cela, ça* L'adverbe de lieu *y* L'adjectif comparatif et superlatif	Sortir en France

UNITÉS	OBJECTIFS LANGAGIERS	GRAMMAIRE	NOTES CULTURELLES
unité 12 En cas de maladie…	Prendre un rendez-vous chez le médecin Décrire ses symptômes Comprendre les prescriptions médicales	L'expression du passif (forme pronominale de sens passif/*se faire* + infinitif) Le participe présent La construction verbale avec *à* et *de* Le pronom tonique	Les assurances en France
unité 13 Au boulot !	Tenir des conversations téléphoniques simples Établir des contacts avec des clients potentiels Utiliser des expressions informelles	Le conditionnel présent L'adjectif possessif (un possesseur/plusieurs possesseurs)	Les formes juridiques de l'entreprise française
unité 14 Une embauche	Parler d'un travail particulier Demander des renseignements sur les conditions de travail Rédiger un curriculum vitæ	Le pronom *en* Le passé récent avec *venir*	Les conditions de travail en France
unité 15 En situation	Utiliser le français dans des situations professionnelles courantes Pratiquer le français avec plus d'aisance Consolider ses connaissances en français		

ENCHANTÉ

J'AI RENDEZ-VOUS...

*La société ITEX, une entreprise française à Strasbourg, installe
une nouvelle usine à Angers.
Le directeur de la nouvelle usine, Gérard Leclerc, visite
la maison mère pour rencontrer Marc Richard, le directeur général.*

Monsieur Leclerc arrive à la réception.

M. Leclerc	Euh ! Bonjour, madame.
	J'ai rendez-vous avec Marc Richard.
La réceptionniste	C'est de la part de qui ?
M. Leclerc	Je m'appelle Gérard Leclerc.
	Je suis le directeur de la nouvelle usine d'Angers.

La réceptionniste téléphone à Marc Richard.

La réceptionniste	Monsieur Richard arrive.
M. Leclerc	Merci, madame.
	(…)
M. Richard	Bonjour, monsieur. Je suis Marc Richard.
	Heureux de faire votre connaissance.
M. Leclerc	Enchanté.
	(…)

PHRASES CLÉS

Bonjour, madame/monsieur.
J'ai rendez-vous avec…
C'est de la part de qui ?
Je suis/je m'appelle…
Je suis le directeur de…
Heureux de faire votre connaissance.
Enchanté(e).
Merci.

VOCABULAIRE

le directeur (n.)
le directeur général (n.)
une entreprise (n.)
la maison mère (n.)
la réception (n.)
le/la réceptionniste (n.)
un rendez-vous (n.)
une société (n.)
une usine (n.)
français, *e* (adj.)
nouv*eau, elle* (adj.)
arriver (v.)
avoir (v.)
être (v.)
installer (v.)
parler (v.)
rencontrer (v.)
s'appeler (v.)
téléphoner (v.)
visiter (v.)
à (prép.)
avec (prép.)

Heureux de faire votre connaissance

Écoutez ces personnes se présenter. Elles travaillent dans la société ITEX.

a) Bonjour. Je m'appelle Gérard Leclerc.
Je suis français et j'habite Tours.
Je suis le directeur de la nouvelle usine d'Angers.

b) Bonjour. Je suis Claire Trévisi. Je suis française et je travaille chez ITEX à Strasbourg.
Je suis chef du personnel.

c) Je m'appelle Marc Richard.
J'habite Strasbourg.
Je suis le directeur général de la société ITEX.

d) Je suis Paul Schmidt.
Je travaille à Strasbourg pour la société ITEX.
Je suis ingénieur commercial.

VOCABULAIRE

un ingénieur commercial (n.)
le chef du personnel (n.)
habiter (v.)
se présenter (v.)
travailler (v.)
chez (prép.)
pour (prép.)

PHRASES CLÉS

Je travaille à/chez/pour…

C'est de la part de qui ?

Écoutez ces six personnes se présenter. Indiquez par une croix leur nationalité et leur profession.

	Annette Hofman	Juan Garcia	Yukie Sato	Dino Sani	Audrey Palmer	Thomas Ziolek
nationalité						
mexicain, *e*						
polonais, *e*						
allemand, *e*						
japonais, *e*						
américain, *e*						
italien, *ne*						
profession						
homme/femme d'affaires						
secrétaire						
ingénieur						
chef des ventes						
comptable						
chef de publicité						

VOCABULAIRE

le chef de publicité (n.)
le chef des ventes (n.)
un/une comptable (n.)
une femme d'affaires (n.)
un homme d'affaires (n.)
un ingénieur (n.)
une secrétaire (n.)
allemand, *e* (adj.)
américain, *e* (adj.)
italien, *ne* (adj.)
japonais, *e* (adj.)
mexicain, *e* (adj.)
polonais, *e* (adj.)

Présentez-vous !

À vous de vous présenter ou de présenter une personne de votre groupe.

Vous avez rendez-vous ?

Vous êtes à la réception d'une entreprise française.
Vous avez rendez-vous avec madame Leblanc.
Complétez le dialogue suivant.

La réceptionniste	Bonjour, monsieur/madame.
Vous	....
La réceptionniste	C'est de la part de qui ?
Vous	....
La réceptionniste	*Madame Leblanc arrive.*
Vous	....
Madame Leblanc	Je suis Monique Leblanc, le chef des ventes. Heureuse de faire votre connaissance.
Vous	....

Exercice 5

À vous de jouer !

Vous êtes à la réception d'une entreprise française. Vous avez un rendez-vous.

Mettez-vous par groupe de trois. Chacun joue un rôle (le/la réceptionniste, le chef du personnel, le directeur…/ « vous »).

Exercice 6

Qui sont-ils ?

Regardez ces dessins et dites pour chaque personne :
- son nom : il/elle s'appelle
- sa nationalité : il/elle est
- sa profession : il/elle est

Léa BALLERINI

BERLIN
Kurt Muller

Olivier GARREAU

Akira MATSUTORI

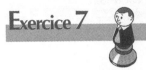 **Exercice 7**

À vous de jouer !

Voici huit cartes de visite. Choisissez une carte et présentez-vous à une personne de votre groupe. Aidez-vous du dialogue 1.

Édith Fauconnier

P-DG

Schneider France
23 *bis*, avenue Charles-de-Gaulle,
33000 Bordeaux

Nicole Guillebaud
Chef du personnel
Établissements Rivaud

16, avenue des Lilas, 29000 Quimper

Jean-Claude Rousseau
Directeur
Rocard Lacoste

43, rue du Moulin, 37000 Tours

Gérard Drillon
Ingénieur commercial

Galeries Lafayette

66, rue du Luberon, 75009 Paris

Patrick Serres
Chef des Ventes

Suissetech
85, rue de Nice, 46000 Cahors

Laurence Cordelier

Directeur commercial
STC
78/80, rue de la Réunion,
13005 Marseille

Frédéric Millau
Chef comptable

PEYRAC

53, rue de Paradis,
26200 Montélimar

Marie-Claude Dupeyron
Chef de service
Crédit agricole
92, avenue Gambetta,
54100 Nancy

Moi, je...

Écoutez ces quatre personnes se présenter et complétez le tableau ci-dessous.

	profession	nationalité	ville
Suzanne	....	....	....
Paul	....	....	....
Jean-Pierre	....	....	....
Monique	....	....	....

PRONONCIATION

Écoutez les phrases suivantes et répétez.

1. Depuis quand êtes-vous ici ?
2. Qui êtes-vous ?
3. Où est Liliane ?
4. Il a six ans.

GRAMMAIRE

LE PRONOM

Le pronom personnel sujet

singulier	**Je**	
	Tu	(utilisé pour les enfants, la famille, les amis)
	Il/elle	
	On	(1. les gens ; 2. nous)
pluriel	**Nous**	
	Vous	(ou utilisé pour une personne : forme de politesse)
	Ils/elles	

LE VERBE

Le présent des verbes en -ER

Téléphoner

singulier			*pluriel*		
Je	téléphon**e**		Nous	téléphon**ons**	
Tu	téléphon**es**		Vous	téléphon**ez**	
Il	téléphon**e**		Ils	téléphon**ent**	
Elle	téléphon**e**		Elles	téléphon**ent**	
On	téléphon**e**				

Formation des verbes en -ER : infinitif -er + terminaison :
-e, -es, -e, -ons, -ez, -ent

Le présent de Avoir	*singulier*	J'	ai		*pluriel*	Nous	avons
		Tu	as			Vous	avez
		Il	a			Ils	ont
		Elle	a			Elles	ont
		On	a				

Le présent de Être	*singulier*	Je	suis		*pluriel*	Nous	sommes
		Tu	es			Vous	êtes
		Il	est			Ils	sont
		Elle	est			Elles	sont
		On	est				

L'ARTICLE

L'article défini

	singulier	*pluriel*
masculin	le directeur	les directeurs
féminin	la société	les sociétés

l' devant une voyelle ou *h* muet :

masculin	l'ingénieur	les ingénieurs
féminin	l'usine	les usines

L'article indéfini

	singulier	*pluriel*
masculin	un ingénieur	des ingénieurs
féminin	une usine	des usines

LE NOM

Le pluriel des noms

Ajoutez s au pluriel. La prononciation est la même.

un ingénieur	des ingénieurs
la secrétaire	les secrétaires

Certains noms en al forment le pluriel en aux.

un journal	des journaux

L'ADJECTIF

L'adjectif qualificatif

Il exprime une qualité du nom.

le directeur français   la secrétaire française
(+ e **au féminin**)

Les adjectifs se placent presque toujours après le nom.

Mais, parfois, certains adjectifs se placent avant le nom.

un **nouveau** directeur   une **nouvelle** usine
(eau ➜ elle **au féminin**)

un **nouvel** ingénieur
(eau ➜ el **au masculin devant une voyelle ou** *h* **muet**)

NOTE CULTURELLE

COMMENT SALUER

Pour saluer, vous devez dire **bonjour** ou **bonsoir** suivi de **monsieur/madame/mademoiselle** si vous ne connaissez pas la personne.

Serrez la main de vos collègues et de chaque personne dans l'entreprise quel que soit son niveau hiérarchique.

N'appelez pas une personne par son prénom si vous la rencontrez pour la première fois.

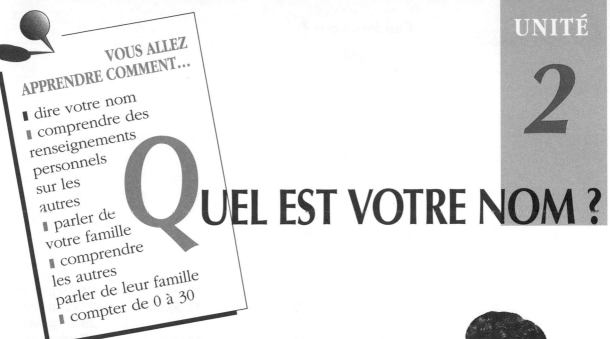

UNITÉ

2

VOUS ALLEZ APPRENDRE COMMENT...

- dire votre nom
- comprendre des renseignements personnels sur les autres
- parler de votre famille
- comprendre les autres parler de leur famille
- compter de 0 à 30

QUEL EST VOTRE NOM ?

ALLÔ, SERVICE DU PERSONNEL !

Brigitte Duclos, assistante au service du personnel de la nouvelle usine d'Angers, parle au téléphone avec une candidate à un emploi.

Brigitte	Allô ! oui. Service du personnel.
La candidate	Bonjour, madame. Je cherche un emploi dans votre société.
Brigitte	Quel est votre nom, mademoiselle ?
La candidate	Je m'appelle Dubois.
Brigitte	Et votre prénom ?
La candidate	Sophie.
Brigitte	Quelle est votre profession ?
La candidate	Je suis standardiste.
Brigitte	Quelle est votre nationalité ?
La candidate	Je suis française.
Brigitte	Vous parlez anglais ?
La candidate	Je parle anglais et allemand.
Brigitte	Et où habitez-vous ?
La candidate	J'habite Saumur.

VOCABULAIRE

l'allemand (n. m.)
l'anglais (n. m.)
un/une assistant, *e* (n.)
un/une candidat, *e* (n.)
un emploi (n.)
la nationalité (n.)
le nom (n.)
le personnel (n.)
le prénom (n.)
la profession (n.)
le téléphone (n.)
un/une standardiste (n.)
le service (n.)
chercher (v.)
dans (prép.)
et (conj.)
où (adv.)

PHRASES CLÉS

Allô !
Je cherche un emploi dans votre société.
Je suis *française*.

17 *dix-sept*

Exercice 1

Qui êtes-vous ?

Remplissez la fiche ci-dessous.

Nom : ....

Prénom : ....

Profession : ....

Nationalité : ....

Domicile : ....

Exercice 2

Les nombres de 0 à 30

Écoutez les nombres de 0 à 30 et répétez.

0 zéro	**8** huit	**16** seize	**24** vingt-quatre
1 un	**9** neuf	**17** dix-sept	**25** vingt-cinq
2 deux	**10** dix	**18** dix-huit	**26** vingt-six
3 trois	**11** onze	**19** dix-neuf	**27** vingt-sept
4 quatre	**12** douze	**20** vingt	**28** vingt-huit
5 cinq	**13** treize	**21** vingt et un	**29** vingt-neuf
6 six	**14** quatorze	**22** vingt-deux	**30** trente
7 sept	**15** quinze	**23** vingt-trois	

Exercice 3

Deux nouveaux candidats

Voici des fiches de candidats à un emploi. Complétez les phrases suivantes en vous aidant des fiches.

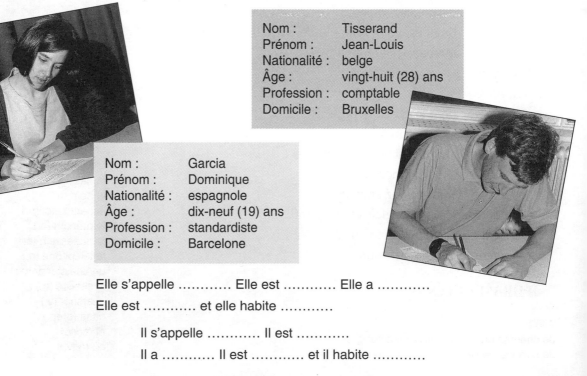

Nom :	Tisserand
Prénom :	Jean-Louis
Nationalité :	belge
Âge :	vingt-huit (28) ans
Profession :	comptable
Domicile :	Bruxelles

Nom :	Garcia
Prénom :	Dominique
Nationalité :	espagnole
Âge :	dix-neuf (19) ans
Profession :	standardiste
Domicile :	Barcelone

Elle s'appelle .... Elle est .... Elle a ....

Elle est .... et elle habite ....

Il s'appelle .... Il est ....

Il a .... Il est .... et il habite ....

Des candidats à un emploi

Écoutez le chef du personnel d'une entreprise internationale parler de candidats à un emploi. Remplissez le tableau suivant.

Nom	Prénom	Nationalité	Âge	Profession
Harper	Thomas	....	......	....
Bosco	Elisa	....	......	....
Berrogain	Daniel	....	......	....
Becker	Barbara	....	......	....

Exercice 5

À vous de jouer !

Vous êtes chef du personnel. Vous parlez à un collègue des demandes d'emploi reçues. Choisissez une personne citée dans l'exercice 4 et présentez-la. N'oubliez pas de dire :

1. son nom   2. son âge   3. sa nationalité   4. sa profession

Exercice 6

La famille Richard

Voici la famille de Marc Richard, le directeur général de la société ITEX.

Marc Richard

Monique Richard

Martin   Linda

la famille (n.)
les parents (n. m. p.)
le père (n.)
la mère (n.)
le mari (n.)
la femme (n.)
les enfants (n. m. p.)
le fils (n.)
la fille (n.)
le frère (n.)
la sœur (n.)

Complétez les phrases.
exemple : Monique est la femme de John.

1. Martin est .... de Linda.

2. Linda est .... de Monique et Marc.

3. Marc est .... de Monique.

4. Martin est .... de Monique.

5. Monique est .... de Martin.

6. Linda est .... de Martin.

Exercice 7

Qui sont-ils ?

1. Ma femme s'appelle Monique → ....

2. Ma sœur s'appelle Linda → ....

3. Notre fille s'appelle Linda → ....

4. Mon frère s'appelle Martin → ....

5. Mon mari s'appelle Marc → ....

Exercice 8

Marié(e) ou célibataire ?

Dominique Dupont et Patrick Joubert se présentent.
Écoutez-les.

1. Je m'appelle Dominique Dupont. Je suis française et je viens de Fontainebleau. Je suis mariée et j'ai une fille. Elle s'appelle Claudine. Mon mari s'appelle Yves. Il est ingénieur. Il est chef de production dans une usine de voitures. Moi, je travaille dans un restaurant.

◢ PHRASES CLÉS

Je viens de…
Je suis marié(e).

2. Je m'appelle Patrick Joubert. Mon entreprise s'appelle Médiane. C'est une petite entreprise familiale, une petite société d'informatique. Je suis le gérant. Je suis marié. Ma femme s'appelle Chloé. Elle travaille avec moi. Ma sœur aussi travaille avec moi. Elle s'appelle Martine et elle est célibataire.

Vrai ou faux ?

Répondez en mettant une croix dans la bonne case.

		vrai	faux
1. a)	Dominique est français.	☐	☐
b)	Dominique est la fille de Claudine.	☐	☐
d)	Dominique travaille dans une usine de voitures.	☐	☐
b)	Yves est marié à Dominique.	☐	☐
e)	Yves a une fille.	☐	☐
2. a)	Patrick a une société d'informatique.	☐	☐
b)	Médiane est une grande société.	☐	☐
c)	Patrick est célibataire.	☐	☐
d)	Chloé travaille dans l'entreprise de Patrick.	☐	☐
e)	La sœur de Chloé s'appelle Martine.	☐	☐

Exercice 9

Histoires de famille

Regardez ces photos. Quels sont les liens de famille entre ces personnes ?

Exercice 10

Quelle est leur nationalité ?

Construisez des phrases sur le modèle suivant.
Mademoiselle Vial (France) → Mademoiselle Vial est française.

1. Monsieur Leclerc (Suisse)
2. Madame Vandenberghe (Belgique)
3. Mademoiselle Dubois (Canada)
4. Madame Gonzales (Espagne)
5. Monsieur O'Donnell (Irlande)
6. Madame Scurtu (Roumanie)
7. Mademoiselle Palmer (Danemark)
8. Monsieur Santos (Portugal)
9. Madame Taylor (Angleterre)
10. Mademoiselle Doulos (Grèce)
11. Mademoiselle Agardi (Hongrie)
12. Monsieur Villar (Brésil)

VOCABULAIRE

anglais, *e* (adj.)
belge (adj.)
brésilien, *ne* (adj.)
canadien, *ne* (adj.)
danois, *e* (adj.)
hongrois, *e* (adj.)
espagnol, *e* (adj.)
grec, *cque* (adj.)
irlandais, *e* (adj.)
portugais, *e* (adj.)
roumain, *e* (adj.)
suisse (adj.)

Exercice 11  À vous de jouer !

Mettez-vous par groupe de deux. Chacun joue un rôle.
(Le joueur A avec le joueur B, le joueur C avec le joueur D.)

JOUEUR A

Vous travaillez au service du personnel
de la société Plasipex.
Demandez le nom de la personne
Demandez quel est son travail
Demandez sa nationalité
Demandez où elle habite

JOUEUR B

Vous êtes Jeanne Duvalier
Vous cherchez un emploi
Vous êtes responsable des ventes
Vous êtes suisse
Vous habitez à Genève

JOUEUR C

Vous êtes la secrétaire de Robert Messier
Demandez le nom de la personne
Demandez quel est son travail
Demandez sa nationalité
Demandez où il habite

JOUEUR D

Vous êtes Paul Marchand
Vous cherchez un emploi
Vous êtes comptable
Vous êtes belge
Vous habitez Liège

PRONONCIATION

Écoutez les phrases suivantes et répétez.
1. Richard est arrivé hier.
2. Marianne a un rendez-vous avec le directeur.
3. Je suis heureux de vous revoir.
4. Merci et au revoir.

GRAMMAIRE

Le verbe pronominal
au présent
S'appeler

singulier			*pluriel*		
	Je	**m'**appelle		Nous	**nous** appelons
	Tu	**t'**appelles		Vous	**vous** appelez
	Il	**s'**appelle		Ils	**s'**appellent
	Elle	**s'**appelle		Elles	**s'**appellent

L'ADJECTIF

L'adjectif possessif

Un seul possesseur et un seul objet

	masculin	*féminin*
singulier	**Mon** mari	**Ma** femme
		Mon entreprise
		(**mon** **devant voyelle ou** *h* **muet**)

Un seul possesseur, mais plusieurs objets

pluriel	**Mes** fils	**Mes** filles

Plusieurs possesseurs, mais un seul objet

singulier	**Notre** frère	**Notre** sœur
	Votre enfant	**Votre** famille

Votre **peut représenter le pluriel de politesse.**

L'INTERROGATION

Qui êtes-vous ?
Quand travaillez-vous ?
Où êtes-vous ?

Comparez :
1. L'usine où vous travaillez.
2. Où travaillez-vous ?

Le sujet est inversé dans l'interrogation.

J'ai une question à vous poser.

Un sondage

Un collègue français vous pose des questions. Posez la même question avec l'inversion du sujet.

exemple : Et vous habitez où ? → Et où habitez-vous ?

1. Vous travaillez où ?

2. Vous êtes marié(e) ?

3. Vous êtes chef de production ?

4. Vous cherchez un emploi ici, en France ?

Vous travaillez au service de la mercatique (ou marketing) de la société Fortex.
Vous posez des questions à cinq personnes de votre groupe. Remplissez le tableau ci-dessous.

FORTEX

(Institut de marketing)

11-13, rue de Jospin, 75020 Paris

	Où habitez-vous ?	Où travaillez-vous ?	Êtes-vous marié (e) ?	Avez-vous des enfants ?	Quelle est votre profession ?	Quelle est votre nationalité ?
A						
B						
C						
D						
E						

NOTE CULTURELLE

LA DIRECTION D'UNE ENTREPRISE FRANÇAISE

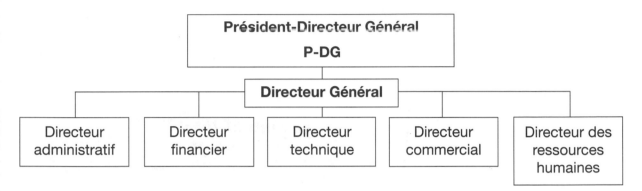

Président-Directeur Général

P-DG

Directeur Général

| Directeur administratif | Directeur financier | Directeur technique | Directeur commercial | Directeur des ressources humaines |

Le **directeur général** *dirige* l'ensemble des activités de l'entreprise.

Le **directeur administratif** *gère* l'ensemble des services administratifs.

Le **directeur financier** *supervise* les activités financières et comptables.

Le **directeur technique** *coordonne* les activités de fabrication.

Le **directeur commercial** *anime* les activités de vente, marketing et publicité.

Le **directeur des ressources humaines** *est chargé* du recrutement, des rémunérations, de la formation et des licenciements.

Ce sont les cadres de l'entreprise.

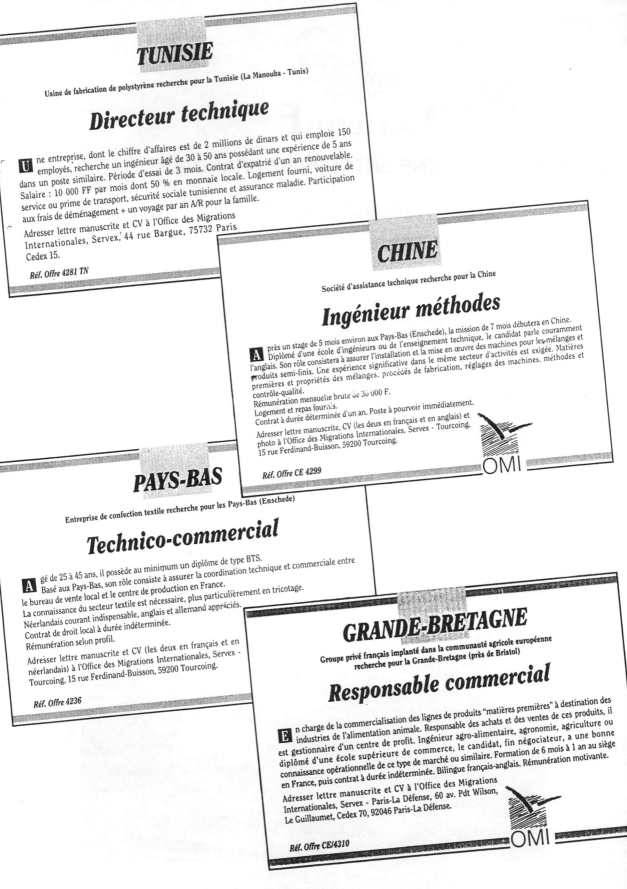

TUNISIE

Usine de fabrication de polystyrène recherche pour la Tunisie (La Manouba - Tunis)

Directeur technique

Une entreprise, dont le chiffre d'affaires est de 2 millions de dinars et qui emploie 150 employés, recherche un ingénieur âgé de 30 à 50 ans possédant une expérience de 5 ans dans un poste similaire. Période d'essai de 3 mois. Contrat d'expatrié d'un an renouvelable. Salaire : 10 000 FF par mois dont 50 % en monnaie locale. Logement fourni, voiture de service ou prime de transport, sécurité sociale tunisienne et assurance maladie. Participation aux frais de déménagement + un voyage par an A/R pour la famille.

Adresser lettre manuscrite et CV à l'Office des Migrations Internationales, Servex, 44 rue Bargue, 75732 Paris Cedex 15.

Réf. Offre 4281 TN

CHINE

Société d'assistance technique recherche pour la Chine

Ingénieur méthodes

Après un stage de 5 mois environ aux Pays-Bas (Enschede), la mission de 7 mois débutera en Chine. Diplômé d'une école d'ingénieurs ou de l'enseignement technique, le candidat parle couramment l'anglais. Son rôle consistera à assurer l'installation et la mise en œuvre des machines pour les mélanges et produits semi-finis. Une expérience significative dans le même secteur d'activités est exigée. Matières premières et propriétés des mélanges, procédés de fabrication, réglages des machines, méthodes et contrôle-qualité.
Rémunération mensuelle brute de 30 000 F.
Logement et repas fournis.
Contrat à durée déterminée d'un an. Poste à pourvoir immédiatement.
Adresser lettre manuscrite, CV (les deux en français et en anglais) et photo à l'Office des Migrations Internationales, Servex - Tourcoing, 15 rue Ferdinand-Buisson, 59200 Tourcoing.

Réf. Offre CE 4299

OMI

PAYS-BAS

Entreprise de confection textile recherche pour les Pays-Bas (Enschede)

Technico-commercial

Agé de 25 à 45 ans, il possède au minimum un diplôme de type BTS. Basé aux Pays-Bas, son rôle consiste à assurer la coordination technique et commerciale entre le bureau de vente local et le centre de production en France.
La connaissance du secteur textile est nécessaire, plus particulièrement en tricotage.
Néerlandais courant indispensable, anglais et allemand appréciés.
Contrat de droit local à durée indéterminée.
Rémunération selon profil.

Adresser lettre manuscrite et CV (les deux en français et en néerlandais) à l'Office des Migrations Internationales, Servex - Tourcoing, 15 rue Ferdinand-Buisson, 59200 Tourcoing.

Réf. Offre 4236

GRANDE-BRETAGNE

Groupe privé français implanté dans la communauté agricole européenne
recherche pour la Grande-Bretagne (près de Bristol)

Responsable commercial

En charge de la commercialisation des lignes de produits "matières premières" à destination des industries de l'alimentation animale. Responsable des achats et des ventes de ces produits, il est gestionnaire d'un centre de profit. Ingénieur agro-alimentaire, agronomie, agriculture ou diplômé d'une école supérieure de commerce, le candidat, fin négociateur, a une bonne connaissance opérationnelle de ce type de marché ou similaire. Formation de 6 mois à 1 an au siège en France, puis contrat à durée indéterminée. Bilingue français-anglais. Rémunération motivante.
Adresser lettre manuscrite et CV à l'Office des Migrations Internationales, Servex - Paris-La Défense, 60 av. Pdt Wilson, Le Guillaumet, Cedex 70, 92046 Paris-La Défense.

Réf. Offre CE/4310

OMI

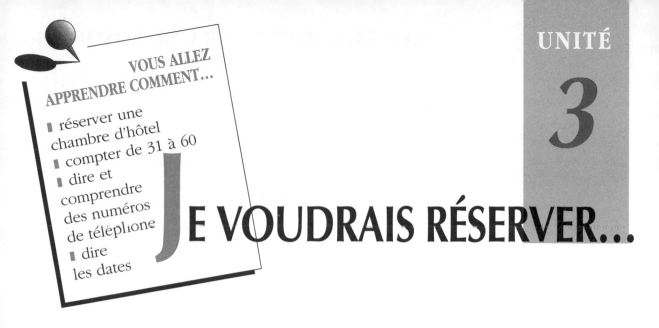

VOUS ALLEZ APPRENDRE COMMENT...

- réserver une chambre d'hôtel
- compter de 31 à 60
- dire et comprendre des numéros de téléphone
- dire les dates

JE VOUDRAIS RÉSERVER...

DÉSOLÉ, C'EST COMPLET

*Paul Schmidt et Claire Trévisi vont rencontrer leurs collègues
à Angers. Ils prennent l'avion le 16 décembre. Rébecca,
la secrétaire de Claire fait les réservations d'hôtel par téléphone.*

La réceptionniste	Allô ! oui ?
Rébecca	C'est bien l'hôtel d'Anjou ?
La réceptionniste	Oui, madame. J'écoute.
Rébecca	Je voudrais réserver deux chambres, s'il vous plaît, à partir du 16 décembre.
La réceptionniste	Un instant, s'il vous plaît. (…) Je suis désolée, madame, l'hôtel est complet.
Rébecca	Merci bien, madame. Au revoir. (…)

▶ PHRASES CLÉS

C'est (bien) l'hôtel *d'Anjou* ?
J'écoute !
Je voudrais réserver…
S'il vous plaît !
À partir du/de…
Un instant…
Je suis désolé(e).
Au revoir.

VOCABULAIRE

un avion (n.)
une chambre (n.)
un/une collègue (n.)
un hôtel (n.)
une réservation (n.)
compl*et, ète* (adj.)
écouter (v.)
faire (v.)
prendre (v.)
réserver (v.)

DEUX CHAMBRES POUR UNE PERSONNE...

Le réceptionniste	Hôtel Concorde, j'écoute !
Rébecca	Oui, bonjour, monsieur. Je voudrais réserver deux chambres, s'il vous plaît.
Le réceptionniste	Oui, madame. Pour combien de personnes ?
Rébecca	Deux chambres pour une personne.
Le réceptionniste	Oui. Pour combien de nuits ?
Rébecca	Une chambre pour cinq nuits et l'autre pour deux nuits seulement, à partir du 16 décembre. (…)

▶ PHRASES CLÉS

Pour combien de personnes ?
Une nuit/deux nuits/trois nuits à partir du *16 décembre*.

DÉSOLÉ, JE N'AI PLUS QU'UNE SEULE CHAMBRE

Le réceptionniste	Ah ! je suis désolé. Je n'ai plus qu'une seule chambre.
Rébecca	D'accord, je la prends.
Le réceptionniste	Pour deux nuits ou pour cinq nuits, alors ?
Rébecca	Pour cinq nuits.
Le réceptionniste	C'est à quel nom ?
Rébecca	Au nom de mademoiselle Claire Trévisi, de la société ITEX.
Le réceptionniste	Et votre numéro de téléphone ?
Rébecca	C'est le 88 41 42 00.
Le réceptionniste	Très bien. Donc une chambre pour une personne pour cinq nuits au nom de mademoiselle Trévisi.
Rébecca	C'est une chambre avec salle de bains ?
Le réceptionniste	Oui, madame.
Rébecca	Merci, au revoir, monsieur.

▶ PHRASES CLÉS

Je n'ai plus que…
D'accord !
Je la prends.
C'est à quel nom ?
Au nom de *Trévisi*.
Très bien.
Une chambre pour une personne/deux personnes.
C'est une chambre avec salle de bains/ douche/ W-C ?

Elle fait une réservation

Rébecca téléphone à l'hôtel de France. Elle réserve une chambre pour Paul Schmidt à partir du 16 décembre pour deux nuits. Complétez le dialogue.

Le réceptionniste :	Allô ! oui.
Rébecca :	....
Le réceptionniste :	Oui, j'écoute.
Rébecca :	....
Le réceptionniste :	Oui, madame. Pour combien de personnes ?
Rébecca :	....
Le réceptionniste :	Pour combien de nuits ?
Rébecca :	....
Le réceptionniste :	C'est à quel nom ?
Rébecca :	....
Le réceptionniste :	Et votre numéro de téléphone ?
Rébecca :	....
Le réceptionniste :	Parfait. Merci, madame.
Rébecca :	....

Maintenant, écoutez le dialogue enregistré et comparez-le au vôtre.

Exercice 2

À vous de jouer !

1. Vous êtes à Paris pour quatre nuits. Réservez une chambre par téléphone. (Joueur A : « vous » ; joueur B : « le/la réceptionniste »)

2. Votre femme/mari/ami(e) passe le week-end à Paris avec vous. Réservez une chambre par téléphone. (Joueur A : « vous » ; joueur B : « le/la réceptionniste »)

Exercice 3

Elle confirme sa réservation

Rébecca confirme par télécopie la réservation de Claire Trévisi.

ITEX   **FAX MESSAGE**   **Date :** 5/12

à : Hôtel Concorde   **de :** Rébecca Lange

Je confirme notre réservation d'une chambre pour une personne avec salle de bains pour les nuits des 16, 17, 18, 19 et 20 décembre, au nom de Mademoiselle Trévisi.

R. Lange

VOCABULAIRE

une télécopie (n.)
confirmer (v.)

À vous d'envoyer une télécopie pour confirmer la réservation de Paul Schmidt.

Les nombres de 31 à 60

Écoutez les nombres et répétez.

31 trente et un	**41** quarante et un	**51** cinquante et un
32 trente-deux	**42** quarante-deux	**52** cinquante-deux
33 trente-trois	**43** quarante-trois	**53** cinquante-trois
34 trente-quatre	**44** quarante-quatre	**54** cinquante-quatre
35 trente-cinq	**45** quarante-cinq	**55** cinquante-cinq
36 trente-six	**46** quarante-six	**56** cinquante-six
37 trente-sept	**47** quarante-sept	**57** cinquante-sept
38 trente-huit	**48** quarante-huit	**58** cinquante-huit
39 trente-neuf	**49** quarante-neuf	**59** cinquante-neuf
40 quarante	**50** cinquante	**60** soixante

Exercice 5

Votre numéro de téléphone, s'il vous plaît ?

Écoutez les numéros de téléphone et écrivez-les.

Noms	Numéros de téléphone
Catherine Deborne	....
Victor Berni	....
Elena Hubik	....
Manuel Torres	....

Exercice 6

Avec salle de bains, s'il vous plaît !

Elsa Martinez travaille dans une agence de voyages. Écoutez les demandes de réservation de ses clients et complétez le tableau.

VOCABULAIRE

un/une client, *e* (n.)
la télévision (n.)
un parking (n.)

Clients	Nombre de nuits	Nombre de personnes	Nombre de chambres	Équipements
1	....	....	....	....
2	....	....	....	....
3	....	....	....	....
4	....	....	....	....

Nous cherchons un petit hôtel

Elsa Martinez a reçu une lettre d'un client français.

Madame, Monsieur,

Je viens à Bruxelles au mois d'août.
Je voudrais réserver une chambre d'hôtel
pour ma famille. Nous sommes quatre
personnes : ma femme, moi et nos deux
enfants, un garçon et une fille.
Nous cherchons un petit hôtel avec
parking. Nous voudrions une chambre pour
deux personnes avec une salle de bains et
deux chambres pour une personne pour les
enfants.
Voulez-vous nous envoyer une liste
d'hôtels et le prix ?
En vous remerciant d'avance, je vous prie
d'agréer, Madame, Monsieur, l'expression
de mes sentiments les meilleurs.

Guillaume Lenoir

Vrai ou faux ?

	vrai	faux
1. Guillaume vient à Bruxelles avec sa famille.	❏	❏
2. Il vient en voiture.	❏	❏
3. Il veut des chambres avec salle de bains pour les enfants.	❏	❏
4. Il veut réserver deux chambres.	❏	❏
5. La famille veut un grand hôtel.	❏	❏
6. Guillaume demande le prix.	❏	❏.

PRONONCIATION

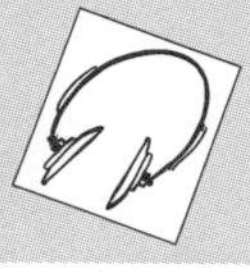

Écoutez les phrases suivantes et répétez.

1. Une nuit à partir du vingt.
2. Pour une personne.
3. Quel numéro?
4. Tu es venu quand ?

GRAMMAIRE

LE VERBE

Le présent des verbes en -RE

Attendre	*singulier*	J'attends	*pluriel*	Nous attendons
		Tu attends		Vous attendez
		Il attend		Ils attendent
		Elle attend		Elles attendent

Formation des verbes en -RE :
infinitif – re + terminaison : -s, -s, ø, -ons, -ez, -ent

Prendre	*singulier*	Je prends	*pluriel*	Nous prenons
(verbe irrégulier)		Tu prends		Vous prenez
		Il prend		Ils prennent
		Elle prend		Elles prennent

NOTE CULTURELLE

TÉLÉPHONER EN FRANCE

En France, vous pouvez acheter une télécarte
dans une poste ou un bureau de tabac
pour téléphoner d'une cabine publique.

• Pour téléphoner de France vers l'étranger en automatique
composez le **19**, puis l'indicatif du pays, puis l'indicatif de zone
ou de ville, puis le numéro de votre correspondant.

• Pour téléphoner de Paris vers la Province
composez le **16** puis le numéro à 8 chiffres de votre correspondant.

• Pour téléphoner de Province vers la Région parisienne
composez le **16**, puis le **1** et le numéro de votre correspondant.

VOUS ALLEZ
APPRENDRE COMMENT…

▮ parler d'un programme
de voyage
▮ dire les dates
▮ lire et comprendre les
horaires

▮LS ARRIVENT

ILS PRENNENT LE VOL
STRASBOURG-PARIS…

Rébecca téléphone à la secrétaire de Gérard Leclerc.

Rébecca Bonjour, madame. Ici Rébecca Lange. Je suis
la secrétaire de Claire Trévisi. Je téléphone
de Strasbourg.

La secrétaire Bonjour, mademoiselle. Qu'est-ce que je peux
faire pour vous ?

Rébecca C'est pour confirmer la date d'arrivée de
monsieur Schmidt et de mademoiselle Trévisi.
Ils arrivent le 16 décembre. Ils prennent le vol
Strasbourg-Paris de 7 heures et le train jusqu'à
Angers. Ils arrivent vers 11 heures.

La secrétaire Est-ce qu'ils ont une chambre d'hôtel ?

Rébecca Oui. Mademoiselle Trévisi a une chambre à l'hôtel
Concorde pour cinq nuits et monsieur Schmidt
à l'hôtel de France pour deux nuits. Pour le retour,
monsieur Schmidt prend l'avion à Paris le 18
à 21h 40 et mademoiselle Trévisi le 21.

VOCABULAIRE

l'arrivée (n. f.)
la date (n.)
le retour (n.)
le train (n.)
un vol (n.)
pouvoir (v.)
de (prép.)
ici (adv.)
jusqu'à (prép.)
vers (prép.)

▶ PHRASES CLÉS

Ici *Rébecca Lange.*
Je téléphone de *Strasbourg…*
Qu'est-ce que je peux faire pour vous ?
Ils prennent un vol *Strasbourg-Paris.*
Ils prennent le train de/jusqu'à…

Exercice 1

Quel jour sommes-nous ?

Écoutez les jours de la semaine et répétez.

• lundi • mardi • mercredi • jeudi • vendredi • samedi • dimanche

Quel jour est-ce ?

aujourd'hui : ....

demain : ....

hier : ....

Exercice 2

De 0 à 24 heures

Lisez les horaires suivants.

8 h 10	**huit heures dix**
9 h 40	**neuf heures quarante**
12 h 25	**douze heures vingt-cinq**
16 h 20	**seize heures vingt**
18 h	**dix-huit heures**
21 h 05	**vingt et une heures cinq**

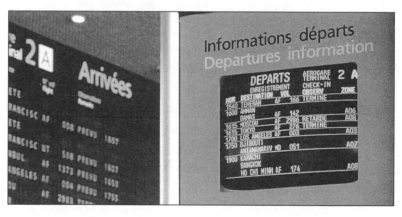

Des collègues arrivent en France. Écoutez et remplissez le tableau ci-dessous.

Noms	Jours	Heures
1. Anne	*Dimanche*	*15 h 30*
2. Paul		
3. Stéphane		
4. Mélanie		
5. Jean		
6. Sabine		
7. Pierre		

Changement de programme

Claire et Paul changent le programme de leur départ.

> *vendredi départ : 08 h 30*
> *avion : 10 h 25*
> *arrivée à Paris : 11 h 25*
> *train gare de Montparnasse : 13 h 50*
> *arrivée à Angers : 15 h 24*

1. Vous laissez un message enregistré sur le téléphone de la secrétaire de Gérard à Angers pour l'informer du nouveau programme de voyage. Que dites-vous ?

2. Paul téléphone à sa femme pour lui indiquer son nouveau programme de voyage. Que dit-il ?

3. Vous êtes en voyage d'affaires. Voici votre programme :

> *départ de Paris : 7 h 55*
> *arrivée à Rome : 9 h 55*
> *rendez-vous chez Belunga : 11 h 30*
> *départ de Rome : 18 h 50*
> *arrivée à Paris : 20 h 55*

Informez votre collègue de votre programme de voyage.

Exercice 4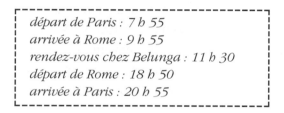

Les mois et les saisons

Regardez le diagramme des mois et des saisons. Écoutez la prononciation et répétez.

▷ **PHRASES CLÉS**

en hiver
au printemps
en été
en automne

Exercice 5

À quelle date ?

Écoutez et écrivez les dates dans l'ordre où vous les entendez.

a) le 15/4 ....

b) le 6/1 ....

c) le 21/5 ....

d) le 30/9 ....

exemple : e) le 5/11   *le cinq novembre*

f) le 18/8 ....

g) le 8/2 ....

h) le 11/6 ....

Exercice 6

C'est quand votre anniversaire ?

1. C'est quand votre anniversaire ?

   Mon anniversaire, c'est le ....

2. Et l'anniversaire de votre mari/femme ?

   L'anniversaire de mon mari/ma femme, c'est le ....

3. L'anniversaire de votre fils/ fille ?

   ....

4. L'anniversaire de votre mère ?

   ....

5. L'anniversaire de votre père ?

   ....

Exercice 7

Cette semaine, qu'est-ce que vous faites ?

Votre secrétaire vérifie les rendez-vous de la semaine. Écoutez et complétez le tableau ci-contre.

Nom ou profession	Jour	Heure
Mme Pinot		
M. Michel		
Chef des achats chez Leroy		
Chef de production		
Chef de production et chef des ventes		

Exercice 8

Un voyage d'affaires en France

La secrétaire de Roberto Perez téléphone à une entreprise française. Lisez la transcription de la conversation.

« Allô ! bonjour… Oui ? Euh ! je m'appelle Louisa Oliveira, je suis la secrétaire de Roberto Perez de la société Cordoba à Madrid. Je vous téléphone pour vous dire que tout est arrangé pour la visite de monsieur Perez chez vous la semaine prochaine. Je vais vous écrire aujourd'hui avec tous les détails. Je veux juste vous confirmer par téléphone que monsieur Perez arrive en France lundi treize avril à 9 h 15. Son numéro de vol est le IB 34 02 qui part de Madrid à 7 h 25 et qui arrive à Orly à 9 h 15. Après il prend le TGV à Paris pour arriver à Lyon vers 13 heures - l'heure exacte de son arrivée est 12 h 42. J'ai réservé une chambre pour lui à l'hôtel de Bordeaux, rue Belier - c'est pour deux nuits. Il revient en Espagne mercredi, le quinze avril, dans l'après-midi. J'espère que ça vous convient. Ça vous va... ? Excellent. Je lui dirai que tout va bien pour la visite alors. Merci bien et au revoir.»

VOCABULAIRE

l'après-midi (n. m.)
le TGV
(Train à Grande Vitesse)
exact, e (adj.)
prochain, e (adj.)
partir (v.)
revenir (v.)

PHRASES CLÉS

Tout est arrangé…
J'espère que…
Ça vous convient ?
Tout va bien !
Ça vous va ?
Excellent !

1. Vous êtes la secrétaire de l'entreprise française. Vous notez les détails du programme de voyage.

a) Date d'arrivée : ……………………………………………………..

b) Heure d'arrivée du vol : …………………………………………….

c) Numéro du vol : ……………………………………………………

d) Type de train : ……………………………………………………….

e) Heure d'arrivée à Lyon : …………………………………………...

f) Nom et adresse de l'hôtel : …………………………………………

g) Durée du séjour : …………………………………………………...

h) Date du retour : ……………………………………………………..

2. Vous êtes le/la secrétaire de monsieur Roberto Perez. Vous écrivez la lettre de confirmation adressée à l'entreprise française.

À vous de jouer !

1. Vous partez à quelle heure ?

*Mettez-vous par groupe de deux joueurs. Chacun joue un rôle :
le joueur A avec le joueur B, le joueur C avec le joueur D.*

A

Vous partez à quelle heure ?

Vous arrivez à quelle heure à Paris ?

Vous prenez le train à quelle heure ?

Vous arrivez à Lyon à quelle heure ?

B

Départ : 7 h 30

Arrivée à Paris : 10 h

Départ du train : 14 h

Arrivée à Lyon : 16 h 12

C

Vous partez à quelle heure le matin ?

C'est à quelle heure, l'avion ?

Le train part à quelle heure ?

Il arrive à quelle heure ?

D

Départ : 6 h

Avion : 8 h 15

Départ : 12 h 15

Arrivée : 15 h 15

2. Prenez rendez-vous.

*Le joueur A prend rendez-vous avec le joueur B. Chaque
joueur a une liste de dates impossibles. À vous de vous
mettre d'accord sur une date possible de rendez-vous.*

A **Dates impossibles**

samedi
le 15 septembre

jeudi
le 6 septembre

lundi
le 3 septembre

mardi
le 18 septembre

mardi
le 11 septembre

vendredi
le 6 septembre

SEPTEMBRE						
L	M	M	J	V	S	D
		1	2	3	4	5	6
7	8	9	10	11	12	13
14	15	16	17	18	19	20
21	22	23	24	25	26	27
28	29	30				

B **Dates impossibles**

vendredi
le 14 septembre

lundi
le 10 septembre

jeudi et vendredi
les 20 et 21
septembre

mardi
le 4 septembre

samedi, dimanche
les 1 et 2 septembre

lundi
le 17 septembre

SEPTEMBRE						
L	M	M	J	V	S	D
		1	2	3	4	5	6
7	8	9	10	11	12	13
14	15	16	17	18	19	20
21	22	23	24	25	26	27
28	29	30				

▶ PHRASES CLÉS

C'est possible…
C'est impossible…

PRONONCIATION

Écoutez les phrases suivantes et répétez.

1. Allô ! Ici Martine.
2. Il arrive lundi.
3. Je vais partir mardi.
4. Qui est le directeur?

GRAMMAIRE

L'INTERROGATION

Inversion du sujet

Comparez :
Où êtes-vous ?
Quand voyagez-vous ?

affirmation
(intonation montante et descendante)
Comparez :
C'est une chambre avec douche.

Pas d'inversion du sujet
(langue parlée)

Vous êtes où ?
Vous voyagez quand ?

interrogation
(intonation montante)

C'est une chambre avec douche ?

Exercez-vous !

C'est sûr ou non ?

Écoutez et complétez ces six phrases en mettant la bonne ponctuation.

– une affirmation .

– une interrogation ?

exemple : 1. C'est avec douche ?

2. C'est pour deux nuits seulement ...

3. Elle prend l'avion le 16 ...

4. Ils arrivent vers 8 h ...

5. Ils prennent le train jusqu'à Paris ...

6. Elle arrive lundi à 18 h ...

L'adverbe interrogatif

| Combien ? | C'est combien ?
Combien de nuits ? |

Est-ce que ?   Est-ce que vous avez une chambre ?
Est-ce que vous travaillez ?
Est-ce que vous partez à Tokyo ?

Qu'est-ce que ?   Qu'est-ce que vous voulez ?
Qu'est-ce que vous écrivez ?
Qu'est-ce que vous avez ?

LE VERBE

Le présent des verbes irréguliers

Pouvoir   *singulier*

	Je	peux			Nous	pouvons
	Tu	peux	*pluriel*		Vous	pouvez
	Il	peut			Ils	peuvent
	Elle	peut			Elles	peuvent

Venir   *singulier*

	Je	viens			Nous	venons
	Tu	viens	*pluriel*		Vous	venez
	Il	vient			Ils	viennent
	Elle	vient			Elles	viennent

Partir   *singulier*

	Je	pars			Nous	partons
	Tu	pars	*pluriel*		Vous	partez
	Il	part			Ils	partent
	Elle	part			Elles	partent

Je pars ou tu viens ?

Écrivez cinq phrases avec le verbe partir ou venir + une date, un mois ou une saison.

exemple : Je pars au printemps.

NOTE CULTURELLE

LES CONGÉS EN FRANCE

Les salariés français ont cinq semaines de congés payés par l'employeur.
La période légale des congés est du 1er mai au 31 octobre mais les Français
partent surtout au mois d'août.

LES FÊTES DE L'ANNÉE

En France, il y a onze jours fériés par an. Quand le jour férié est un jeudi
ou un mardi, les Français font le pont.

1er janvier	*le Nouvel An*
1er mai	*la fête du Travail*
8 mai	*la fête de la Libération*
14 juillet	*la fête nationale*
15 août	*l'Asssomption*
1er novembre	*la Toussaint*
11 novembre	*l'anniversaire de l'Armistice*
25 décembre	*Noël*
Fêtes mobiles	*le lundi de Pâques*
	l'Ascension
	le lundi de Pentecôte

LES CHAMPIONS DES CONGÉS PAYÉS			*Chiffres de janvier 1991*
	Jours de vacances	Jours fériés	Total
Pays-Bas	36	7	43
Allemagne	30	12	42
Italie	31	9	40
Espagne	22	14	36
France	25	11	36
Portugal	22	14	36
Suède	25	11	36
Grande-Bretagne	27	8	35
Danemark	26	8	34
Belgique	20	11	31
Grèce	22	9	31
Suisse	23	8	31
Irlande	20	8	28
Japon	14	11	25
États-Unis	12	11	23

TAUX DE DÉPART EN VACANCES

INSEE TEF. 93 / 94

(%)

	1965	1975	1980	1985	1990	1991	1992
Période d'été	...	50,2	53,3	53,8	55,4	55,6	55,3
Période d'hiver	...	17,1	22,7	24,9	26,7	26,3	28,9
Ensemble de l'année.........................	**41,0**	**52,5**	**57,2**	**57,5**	**59,1**	**59,8**	**60,0**

VACANCES EN FRANCE ET À L'ÉTRANGER EN 1992

INSEE TEF. 93 / 94

(%)

Selon le genre de séjour	Hiver	Été	Selon le mode d'hébergement	Hiver	Été France	Été Étranger
Circuit	5,6	7,7	Hôtel	11,2	5,0	19,4
Mer	21,1	45,0	Location	11,5	17,9	6,2
Montagne.............................	27,6	13,1	Résidence secondaire	12,0	14,2	10,2
Campagne	25,9	24,2	Parents et amis	56,8	37,5	51,0
Ville	19,8	10,0	Tente, caravane	1,9	17,5	5,9
Ensemble........................	**100,0**	**100,0**	Villages de vacances	3,2	4,5	2,1
dont : *en France*.....................	*83,2*	*79,6*	Auberge de jeunesse et autres ..	3,4	3,4	5,2
			Ensemble	**100,0**	**100,0**	**100,0**

DEUX ALLERS SIMPLES

QUAI NUMÉRO 1...

Claire et Paul arrivent à l'aéroport Roissy-Charles-de-Gaulle.
Ils prennent le train pour Paris.

Paul	Deux billets pour la gare du Nord, s'il vous plaît.
L'employé	Aller-retour ou aller simple ?
Paul	Deux allers simples, s'il vous plaît.
	(...) Ça fait combien ?
L'employé	Ça fait 62 francs.
Paul	Je suis désolé, je n'ai pas de monnaie.
	Voilà un billet de 500 francs.
L'employé	Voilà, monsieur.
Paul	Merci. Le train est à quelle heure ?
L'employé	Il y en a un toutes les quinze minutes.
Paul	Quel quai, s'il vous plaît ?
L'employé	Quai numéro 1

PHRASES CLÉS

Un aller simple/deux allers simples/un aller-retour
Ça fait combien ?
Voilà un billet de *500 F.*
Je n'ai pas de monnaie.
Le train est à quelle heure ?
Il y en a un toutes les *15 minutes.*
Quel quai ?

VOCABULAIRE

l'aéroport (n. m.)
un billet *(de banque)* (n.)
un billet *(de train/d'avion)* (n.)
un/une employé, *e* (n.)
un franc (n.)
la gare (n.)
la monnaie (n.)
le quai (n.)
voilà (prép.)

Exercice 1

Un aller-retour

Vous achetez un billet de train aller-retour pour aller de Paris à Rouen. Vous n'avez pas de monnaie. Complétez le dialogue.

Vous	....
L'employé	Aller simple ou aller-retour ?
Vous	.... *(demandez un aller-retour)* ....
L'employé	deux cent vingt-six (226) francs, monsieur.
Vous	....
L'employé	À quinze heures treize (15 h 13), monsieur.
Vous	....
L'employé	Quai numéro 17 (dix-sept).

Maintenant, écoutez le dialogue et comparez-le avec le vôtre.

Exercice 2

De Roissy-Charles-de-Gaulle à Paris

Lisez le document ci-dessous et répondez aux questions.

1. Quelle est la durée du voyage jusqu'à Paris ?

2. Quand partent les trains ?

3. Où pouvez-vous acheter un billet ?

4. Où pouvez-vous prendre le train ?

PARIS ◄►AÉROGARES CDG (ROISSY)

ROISSY✈ RAIL

un train pour être à l'heure

- ■ *35 minutes de trajet.*
- ■ *1 départ toutes les 15 minutes (voir horaire ci-contre).*
- ■ *Des dessertes directes au cœur de Paris.*
- ■ *De nombreuses correspondances avec le métro et le RER.*

DE PARIS AUX AÉROGARES CDG (ROISSY)

• **Vente des billets :** dans toutes les gares RER (lignes A, B, C).
• **Points de départ :** toutes les gares de la ligne B du RER entre Cité Universitaire et Gare du Nord.
— Monter à bord des trains affichés dont le code commence par E : ECHO, EDEN, ELAN, ERIC, ETAL ou ETEL : départ toutes les 15 minutes de 5 h 30 à 23 h 30 (voir horaire ci-contre).
• **Arrivée :** gare de Roissy-Aéroport Ch.-de-Gaulle.
— A la sortie de la gare, emprunter : soit la navette aérogare 1, soit la navette aérogare 2 (ces navettes desservent aussi le parc B).

DES AÉROGARES CDG (ROISSY) A PARIS

• **Points de départ :** prendre la navette aéroport :
— Aérogare 1 : Porte 30, niveau Arrivée.
— Aérogare 2 : Portes A5 et B6.
— Descendre à la gare SNCF Roissy-Aéroport CDG.
• **Vente des billets :** dans la gare RER de Roissy-Aéroport CDG.
— Prendre le train en correspondance vers Paris (voir horaire ci-contre).
• **Arrivée :** dans toutes les gares de la ligne B du RER situées dans Paris (correspondance métro dans 3 gares).

Exercice 3

La meilleure formule !

Vous êtes à Paris. Vous prenez le métro pour la première fois. Complétez le document ci-contre avec les mots suivants :
• banlieue • carnet • circuler • gratuit • guichets • nombre • tarifs
• transport • valable • vente.

Aidez-vous du dictionnaire ou du lexique.

VOCABULAIRE

la banlieue (n.)
le bus (n.)
un carnet (n.)
un guichet (n.)
le métro (n.)
le nombre (n.)
le RER
(*le Réseau Express Régional*)
le tarif (n.)
un ticket (n.)
le transport (n.)
la vente (n.)
le voyage (n.)
gratuit, *e* (adj.)
valable (adj.)
acheter (v.)
circuler (v.)

Paris sur le bout des doigts

Pour un nombre limité de voyages : le ticket. Il s'achète à l'unité ou par .... de 10, il est .... pour un seul trajet. Seuls les tickets à l'unité sont en .... dans les bus. Dans le métro et le RER Paris, la tarification est indépendante du parcours ; dans les bus, elle varie en fonction de la distance (1 à 2 tickets dans Paris, 2 à 6 tickets en banlieue). *Pour .... librement pendant 1 journée entière : Formule 1.* La meilleure formule pour effectuer un .... illimité de voyages pendant 1 journée, dans Paris et sa .... Renseignez-vous aux .... du métro et du RER. *Et pour vos enfants : des .... réduits ... voire très réduits.* Tickets demi-tarif pour les enfants de moins de 10 ans, et voyage .... pour les moins de 4 ans !

PHRASES CLÉS

Renseignez-vous...

POUR ALLER GARE MONTPARNASSE ?

Claire et Paul sont à Paris, gare du Nord. Le train pour Angers part de la gare Montparnasse. Ils prennent le métro.

Paul	Excusez-moi, pour aller gare Montparnasse, s'il vous plaît ?
Un passager	Vous prenez la direction porte d'Orléans, jusqu'à la station Montparnasse.
Paul	Merci, monsieur.
Le passager	Je vous en prie !

VOCABULAIRE

la direction (n.)
la station (n.)

PHRASES CLÉS

Excusez-moi !
Pour aller...
Vous prenez la direction de...
Je vous en prie !

Exercice 4 — À la Gare du Nord

1. Regardez le plan de métro ci-dessous. Vous êtes à la station Gare du Nord. Maintenant, écoutez les questions des voyageurs et répondez (donnez la direction et la station).

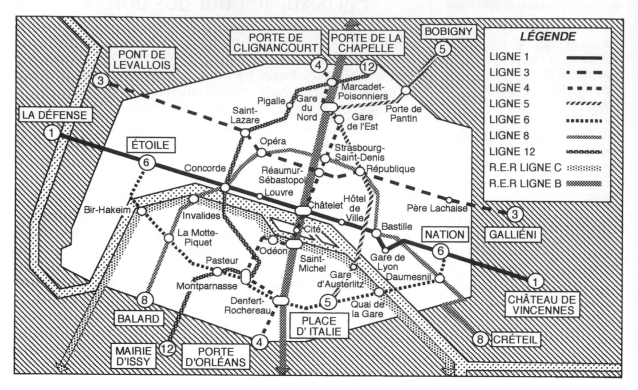

2. Mettez-vous par deux : le joueur A demande une direction. Le joueur B répond.

Exercice 5

Les nombres de 61 à 1 000

Écoutez les nombres et répétez.

61 soixante et un	73 soixante-treize	85 quatre-vingt-cinq	97 quatre-vingt-dix-sept
62 soixante-deux	74 soixante-quatorze	86 quatre-vingt-six	98 quatre-vingt-dix-huit
63 soixante-trois	75 soixante-quinze	87 quatre-vingt-sept	99 quatre-vingt-dix-neuf
64 soixante-quatre	76 soixante-seize	88 quatre-vingt-huit	100 cent
65 soixante-cinq	77 soixante-dix-sept	89 quatre-vingt-neuf	200 deux cents
66 soixante-six	78 soixante-dix-huit	90 quatre-vingt-dix	250 deux cent cinquante
67 soixante-sept	79 soixante-dix-neuf	91 quatre-vingt-onze	380 trois cent quatre-vingts
68 soixante-huit	80 quatre-vingts	92 quatre-vingt-douze	381 trois cent quatre-vingt-un
69 soixante-neuf	81 quatre-vingt-un	93 quatre-vingt-treize	500 cinq cents
70 soixante-dix	82 quatre-vingt-deux	94 quatre-vingt-quatorze	1000 mille
71 soixante et onze	83 quatre-vingt-trois	95 quatre-vingt-quinze	
72 soixante-douze	84 quatre-vingt-quatre	96 quatre-vingt-seize	

Exercice 6

Bingo !

1. Écoutez les nombres et soulignez ceux que vous entendez.

75 - 79 - 81 - 85 - 99 - 77 - 63 - 83 - 96 - 80

2. Écoutez les nombres et écrivez-les.

exemple : 72, soixante-douze

Exercice 7

Votre attention, s'il vous plaît !

Paul et Claire sont gare Montparnasse. Ils cherchent le train pour Angers.
Écoutez les annonces de train et notez :
– le numéro du train pour Angers ;
– l'heure de départ du train ;
– le numéro du quai.

C'EST UN VOYAGE D'AFFAIRES ?

Claire et Paul sont dans le train pour Angers. Ils font la connaissance d'un passager.

Claire	Excusez-moi, vous êtes italien.
Le passager	Oui, je viens de Bergame en Italie.
Claire	C'est votre première visite en France ?
Le passager	Oui, c'est ma première visite.
Claire	C'est un voyage d'affaires ?
Le passager	Oui, je suis chef de publicité chez Progetti, à Milan. Et vous ? vous êtes en vacances ?
Claire	Non. Nous sommes de Strasbourg. Je suis chef du personnel chez ITEX. Mon collègue, Paul Schmidt est ingénieur commercial. Nous allons à Angers. Notre société a une nouvelle usine là-bas. Vous avez appris le français en Italie ? Vous parlez très bien.
Le passager	Merci. Oui, j'ai appris le français au collège et je suis des cours de français depuis six mois chez Progetti.

VOCABULAIRE

le collège (n.)
une connaissance (n.)
un cours (n.)
un passager (n.)
les vacances (n.)
une visite (n.)
un voyage d'affaires (n.)
premier, ère (adj.)
depuis (prép.)
en (prép.)
là-bas (adv.)
apprendre (v.)
suivre (v.)

▶ PHRASES CLÉS

C'est ma première/seconde/troisième/quatrième visite *en France.*
C'est un voyage d'affaires…
Vous êtes en vacances.
Ma collègue/mon ami et moi allons à …
J'ai appris le français au *collège*/chez *Progetti*…
Je suis des cours depuis *six mois.*

Exercice 8

À vous de jouer !

Mettez-vous par groupe de deux. Vous vous rencontrez dans le train (ou dans l'avion). Le joueur A interroge le joueur B.

Joueur A	Joueur B
Ah ! vous êtes espagnol(e) ? grec(que) ? chinois(e) ?	allemand(e) américain(e) mexicain(e)
Vous habitez Berlin ? New York ? Mexico ?	Hambourg Dallas Acapulco
Vous venez seul(e) en France ?	avec un/une collègue
Vous êtes gérant ? ingénieur ? comptable ?	chef du personnel chef de publicité chef des ventes
Vous travaillez pour une grande/petite entreprise ?	Thompson *(petite)* Mitoya *(grande)*
Vous parlez bien français ?	… cours de français depuis … mois.

Imaginez des variantes (nationalité, ville, profession, nom d'entreprise) et redites le dialogue.

Exercice 9

Taxi !

À Angers, Dino Lavarini, le chef de publicité de chez Progetti, prend un taxi pour aller à l'hôtel du Roi René.
Complétez le dialogue suivant.

Dino	………………………………………………
Le chauffeur de taxi	Très bien. Montez. Vous êtes espagnol ?
Dino	………………………………………………
Le chauffeur de taxi	Vous êtes en vacances ?
Dino	………………………………………………
Le chauffeur de taxi	Vous parlez très bien français.
Dino	………………………………………………
Le chauffeur de taxi	Voilà votre hôtel. Ça fait 48 francs. Bon séjour.

Écoutez le dialogue et comparez-le avec le vôtre.

VOCABULAIRE

un chauffeur de taxi (n.)
un taxi (n.)

PHRASES CLÉS

Bon séjour !

À vous de jouer !

Mettez-vous par groupe de deux. Chacun joue un rôle.
Imaginez des variantes.

Joueur A	Joueur B
Le chauffeur de taxi	*Un/e client/e*
Argentin(e) ?	Chilien(ne)
Égyptien(ne) ?	Marocain(ne)
Vacances ?	Affaires
Affaires ?	Études
Hôtel	
Gare	
65F	

À quelle heure est-ce qu'il y a un train ?

Francine Deschamp travaille dans une agence de voyages.
Des clients posent des questions sur les horaires de train.

Complétez le tableau suivant.

Clients	Villes de destination	Mois / Jours / Heures de départ
1	*Versailles*	*vendredi soir*
2		
3		
4		

À vous de jouer !

Mettez-vous par groupe de deux. Choisissez une scène et jouez-la.

JEU 1

Vous êtes au bar de l'hôtel. Un/e Français/e vous demande votre nationalité.

Continuez la conversation.

JEU 2

Vous attendez à la réception de l'hôtel. Un/e Français/e voit votre nationalité sur votre passeport.

Continuez la conversation.

JEU 3

Vous êtes à la réception d'une entreprise.

La secrétaire commence la conversation.

À vous de continuer...

GRAMMAIRE

L'ADJECTIF

L'adjectif indéfini Tout

Tout le monde	**Toute** la visite
Tous les trains	**Toutes** les quinze minutes

LA PRÉPOSITION

La préposition À

à + article défini
à + **le** = **au** cours, **au** Havre, **au** Canada
à + **la** = **à la** gare
à + **l'** = **à l'**entreprise
à + **les** = **aux** passagers

La préposition Depuis

Vous suivez des cours de français **depuis** combien de temps ?
Vous êtes en France **depuis** combien de mois ?
Il travaille **depuis** dix ans.

LA NÉGATION

affirmation	*négation*
J'ai de la monnaie.	Je **n'**ai **pas** de monnaie.
Je suis en vacances.	Je **ne** suis **pas** en vacances.
C'est un voyage d'affaires.	Ce **n'**est **pas** un voyage d'affaires.

Exercez-vous !

Non, non et non !

Répondez aux questions par une négation.

exemple : 1. Vous allez à Nantes? *Non, je ne vais pas à Nantes.*
2. Ah ! vous êtes japonais ?
3. Et vous venez de Rio ?
4. C'est votre femme ?
5. Vous êtes chef des achats ?
6. Vous parlez bien français ?
7. Vous avez des enfants ?
8. Vous partez en vacances ?

LE VERBE

Le présent des verbes en -IR

Finir

Singulier		*Pluriel*	
Je	fin**is**	Nous	fin**issons**
Tu	fin**is**	Vous	fin**issez**
Il	fin**it**	Ils	fin**issent**
Elle	fin**it**	Elles	fin**issent**

Formation des verbes en IR : infinitif –ir + terminaison :
-is, -is, -it, -issons, -issez, -issent.

NOTE CULTURELLE

PRENDRE LE TRAIN EN FRANCE

Le réseau ferré français est exploité en quasi-totalité par la SNCF (Société nationale des Chemins de fer français).

Le réseau ferré français est très dense. Mais la plupart des grandes lignes partent de Paris.

Il y a six gares à Paris :

• la gare du Nord pour aller dans le nord de la France et les pays du nord de l'Europe ;

• la gare de l'Est pour aller dans l'est de la France et les pays de l'est de l'Europe ;

• la gare d'Austerlitz pour aller dans le sud-ouest de la France et en Espagne ;

• la gare de Lyon pour aller dans le sud et le sud-est de la France, en Suisse et en Italie ;

• la gare Montparnasse pour aller dans l'ouest de la France, en Bretagne et prendre le TGV-Atlantique pour aller dans le sud-ouest de la France ;

• la gare Saint-Lazare pour aller dans l'ouest de la France, en Normandie et en Grande-Bretagne.

Pour prendre le train en France, vous compostez votre billet avant de monter dans le train.

...empruntez l'itinéraire bis !

Billetterie AUTOMATIQUE

SNCF

Avec la billetterie automatique, jouez la facilité...

Elle vous permet, en toute simplicité :
• d'acheter un billet, accompagné ou non d'une réservation, jusqu'au moment de votre départ ; d'échanger une réservation, pour un départ
• le jour-même ;
de retirer une réservation commandée
• par minitel ou téléphone.

Grâce à son écran tactile, un simple effleurement sur la touche sélectionnée suffit pour faire votre choix.

Vous pouvez régler votre billet :
• par carte bancaire
• en espèces (pour tout montant jusqu'à 100 francs).

...et gagnez du temps.

VOUS ALLEZ APPRENDRE COMMENT...

▌ se faire enregistrer dans un hôtel
▌ demander des renseignements sur les équipements de l'hôtel
▌ dire l'heure
▌ demander des renseignements sur les habitations en France
▌ dire ce que vous aimez et ce que vous n'aimez pas

UNITÉ

6

VOILÀ VOTRE CLEF

J'AI UNE CHAMBRE RÉSERVÉE...

Claire arrive à l'hôtel.

Claire	Bonsoir, monsieur. J'ai une chambre réservée au nom de Trévisi.
Le réceptionniste	Ah ! oui, mademoiselle Trévisi. Vous êtes en déplacement pour la société ITEX. Vous avez une pièce d'identité , s'il vous plaît ?
Claire	Oui, voici. Mon permis de conduire ou mon passeport, comme vous voulez.
Le réceptionniste	Merci, mademoiselle. Voulez-vous bien remplir cette fiche.
Claire	Oui, bien sûr.

▶ PHRASES CLÉS

J'ai une chambre réservée au nom de...
Vous êtes en déplacement...
N'est-ce pas ?
Voilà mon passeport/mon permis de conduire.
Comme vous voulez !
Oui, bien sûr.

VOCABULAIRE

un déplacement (n.)
une fiche (n.)
le passeport (n.)
le permis de conduire (n.)
une pièce d'identité (n.)
réservé, e (adj.)
remplir (v.)

CHAMBRE NUMÉRO 200

Le réceptionniste donne la clef de la chambre à Claire.

Le réceptionniste	Voilà votre clef. C'est la chambre numéro deux cents, avec salle de bains.
Claire	Est-ce qu'il y a un restaurant ?
Le réceptionniste	Oui, il est ouvert de 19 h 30 à 22 h.
Claire	Ah ! Vous ne servez pas le déjeuner ?
Le réceptionniste	Non, mademoiselle, désolé, seulement le dîner.
Claire	À quelle heure est le petit déjeuner ?
Le réceptionniste	À partir de 7 h, mademoiselle.
Claire	Merci, monsieur.
Le réceptionniste	Je vous en prie. Bonne soirée, mademoiselle.

VOCABULAIRE

la clef (n.)
le déjeuner (n.)
le dîner (n.)
le petit déjeuner (n.)
ouvert, e (adj.)
servir (v.)

▶ PHRASES CLÉS

Il y a…
Est-ce qu'il y a un restaurant/un bar/un ascenseur ?
À quelle heure est le petit déjeuner/le déjeuner/le dîner ?
Vous ne servez pas le déjeuner ?
Bonne soirée !
Bonne journée !
Il/elle est ouvert(e)/fermé(e).

Exercice 1

Chambre trois cent deux

Paul est à la réception de l'hôtel de France. Il demande où est le bar. Complétez le dialogue suivant.

Paul	…………………………………………
Le réceptionniste	Ah ! oui, monsieur Schmidt. Vous êtes en déplacement pour la société ITEX, n'est-ce pas ? Vous avez une pièce d'identité, s'il vous plaît ?
Paul	…………………………………………
Le réceptionniste	Merci, monsieur. Voulez-vous remplir la fiche ?
Paul	…………………………………………
Le réceptionniste	Voilà votre clef. C'est la chambre numéro trois cent deux, avec douche.
Paul	…………………………………………
Le réceptionniste	Là-bas, monsieur.
Paul	…………………………………………
Le réceptionniste	À partir de 20 h, monsieur.

Écoutez le dialogue et comparez-le avec le vôtre.

VOCABULAIRE

le bar (n.)
une douche (n.)

Exercice 2

À vous de jouer !

*Mettez-vous par groupe de deux. Chacun joue un rôle :
le joueur A, le/la réceptionniste ; le joueur B, le/la client(e).*

À l'hôtel Paradis.

Joueur A	**Joueur B**
Nom SVP.	Petit déjeuner ?
En stage ?	Restaurant ?
En déplacement ?	Merci
Pièce d'identité ?	
Fiche	
N° de chambre	
À partir de...	

Exercice 3

Un hôtel ☆ ☆ ☆

Trouvez pour chaque mot le dessin correspondant.

1. le parking
2. l'ascenseur
3. le téléphone
4. la télévision
5. les cartes de crédit sont acceptées.
6. la boutique
7. la salle de sport
8. le sauna
9. la piscine
10. la navette aéroport

VOCABULAIRE

l'ascenseur (n. m.)
une boutique (n.)
une carte de crédit (n.)
la navette aéroport (n.)
la piscine (n.)
la salle de sport (n.)
le sauna (n.)

Exercice 4

À l'hôtel Concorde

Vous êtes à l'hôtel Concorde. Vous expliquez à un collègue français quels sont les équipements de l'hôtel.

Pour commencer vos phrases, utilisez :

• À l'hôtel, il y a... • Dans la chambre, il y a... • Ils acceptent...

HÔTELS – ADRESSE	TÉLÉPHONE (TÉLEX)	FERMETURE		NOMBRE DE CHAMBRES			PRIX			RESTAURANT		Salon pour séminaire (capacité)	Langues étrangères parlées
		Hebdomadaire	Annuelle	Total	Bain ou douche, w.c.	Cabinet de toilette, w.c.	Chambre	Petit déjeuner	Demi pension	Prix	Capacité		
***Concorde 18 boulevard Foch	41.87.37.20 (720.923)			73	73		330-380	38		C	90	180	GB D-1

CONFORT

Quelle heure est-il ?

Regardez tous les cadrans et lisez l'heure.

une heure

deux heures

deux heures et quart

deux heures et demie

trois heures moins le quart

midi / minuit

deux heures vingt

trois heures
moins vingt-cinq

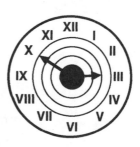

trois heures moins dix

Au quatrième top, il sera exactement…

Écoutez l'horloge parlante et écrivez les heures que vous entendez.

exemple : 1. *2 h 10*   *deux heures dix minutes*

2. ....

3. ....

4. ....

5. ....

6. ....

C'est fermé !

Ces pancartes indiquent les horaires d'ouverture de magasins français. Construisez des phrases sur le modèle suivant.

exemple : Il est ouvert de .... heures à .... heures.

Il est fermé de .... heures à .... heures.

LE MATIN
OUVERT DE 8 H 30 À 12 H 00

L'APRÈS-MIDI
OUVERT DE 14 H 00 À 18 H 00

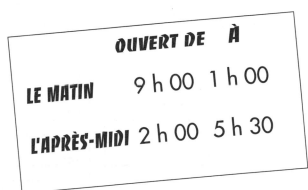

OUVERT DE   À

LE MATIN   9 h 00   1 h 00

L'APRÈS-MIDI 2 h 00   5 h 30

C'est ouvert !

Écoutez le réceptionniste de l'hôtel. Il donne des renseignements sur les horaires des services aux clients de l'hôtel. Notez les horaires.

Horaires

1. Petit déjeuner : ....

2. Déjeuner : ....

   Dîner : ....

3. Bar :...

Un emploi du temps chargé

Claire téléphone à sa secrétaire son emploi du temps.
Écoutez-la et complétez son agenda.

Lundi

8: _____
9: _____
10: _____
11: _____
12: _____
_____
14: _____
15: _____
16: _____
17: _____
18: _____
19: _____
20: _____

Mardi

8: _____
9: _____
10: _____
11: _____
12: _____
_____
14: _____
15: _____
16: _____
17: _____
18: _____
19: _____
20: _____

Mercredi

8: _____
9: _____
10: _____
11: _____
12: _____
_____
14: _____
15: _____
16: _____
17: _____
18: _____
19: _____
20: _____

Jeudi

8: _____
9: _____
10: _____
11: _____
12: _____
_____
14: _____
15: _____
16: _____
17: _____
18: _____
19: _____
20: _____

Vendredi

8: _____
9: _____
10: _____
11: _____
12: _____
_____
14: _____
15: _____
16: _____
17: _____
18: _____
19: _____
20: _____

Samedi

8: _____
9: _____
10: _____
11: _____
12: _____
_____
14: _____
15: _____
16: _____
17: _____
18: _____
19: _____
20: _____

Dimanche

8: _____
9: _____
10: _____
11: _____
12: _____
_____

14: _____
15: _____
16: _____
17: _____
18: _____
19: _____

Notes

_____
_____
_____
_____
_____

Exercice 10  À vous de jouer !

Voici deux pages d'agenda de deux hommes d'affaires.
Trouvez une date convenable de réunion (durée deux heures).
Ces deux hommes d'affaires ne travaillent pas le week-end,
bien sûr.
Mettez-vous par groupe de deux. Chacun joue un rôle.

Joueur A	matin	après-midi/soir
lundi	*6 h* ⟶ *voyage d'affaires*	*19 h 30*
mardi		*14 h* *réunion* *avec le P-DG*
mercredi	*10 h 30* *réunion avec* *Marie-France*	
jeudi	*9 h* *visite de l'usine* *Abex*	
vendredi		*20 h 30* *dîner au Coq d'or* *avec Henri et Marie*
samedi dimanche		*14 h tennis* *avec Paul*

Joueur B	matin	après-midi
lundi		*19 h 30* *dîner avec* *Jean-Michel*
mardi	*8 h 30* *visite au* *chantier*	
mercredi	*8 h 30* ⟶ *en stage*	*17 h 30*
jeudi		
vendredi	*8 h* *TGV à Bordeaux*	
samedi dimanche		*14 h 05 retour*

Exercice 11 Trouvez-moi un bon hôtel !

Marc Richard part en voyage d'affaires à Nice. Il demande à sa
secrétaire de réserver une chambre avec :

a) une baignoire ou une douche

b) une radio, une télévision et un téléphone

c) un salon particulier

d) le déjeuner et le dîner servis dans la chambre

c) une piscine et une salle de gymnastique dans l'hôtel

Lisez les documents page suivante.

Sa sécrétaire réserve une chambre dans quel hôtel ?

A

🚗 🍴 P

180 CHAMBRES
dont 4 appartements et
1 appartement présidentiel.
Salle de bains (20 chambres avec
douche), radio, TV, téléphone,
mini-bar.
La plupart des chambres sont
climatisées et insonorisées.

RESTAURANT ET BAR
"Le Chateaubriand": restaurant
traditionnel.
"Le Thomann": bar d'ambiance.

**4 SALONS RÉUNIONS
ET RÉCEPTIONS**
de 20 à 120 m², tous insonorisés et
climatisés.

AUTRES SERVICES
Salon de coiffure. Galerie
marchande.

B

100 CHAMBRES
dont 2 suites et 1 chambre
pour handicapé.
Salle de bains, radio, TV,
téléphone, mini-bar.

RESTAURANT ET BAR
"Le Majoral": spécialités
régionales.
Bar "Le Fustier".

**4 SALONS DE RÉUNIONS
ET RÉCEPTIONS**
de 60 à 240 m² et 2 bureaux
clients.
Salons pour repas d'affaires
(10 à 240 personnes).

**HÔTEL CLIMATISÉ
ET INSONORISÉ**

LOISIRS
Piscine avec terrasse aménagée
et bar. 2 courts de tennis.

C

P 〰 🏊 ♨

255 CHAMBRES
et suites.
Salle de bains, radio, TV couleurs,
avec circuit vidéo, téléphone
direct.
Service en chambre 24 h sur 24.

RESTAURANTS
"Le Faucon": restaurant de
tradition française et
internationale.
"Le Shalimar": coffee-shop,
ouvert 24 h sur 24.

**SALONS RÉUNIONS
ET RÉCEPTIONS**
jusqu'à 200 personnes.
Équipement complet.

**HÔTEL CLIMATISÉ
ET INSONORISÉ**

LOISIRS ET SERVICES
Piscine. Gymnase. Sauna.
2 squash.
Centre d'affaires.

JE CHERCHE UN LOGEMENT...

Claire va passer six mois à Angers, à partir de janvier. Elle cherche un logement pour son séjour. Elle va dans une agence immobilière avec Marianne, une collègue.

L'agent Mesdames, bonjour.

Claire Bonjour. Je cherche un logement. Je vais passer six mois ici, à Angers, à partir du mois de janvier. Je cherche un appartement à louer.

L'agent Un petit studio ?

Claire Oui. Pas trop grand, et pas trop cher… mais pas trop petit, quand même. Et assez confortable. Avec une salle de bains, pas une douche. Meublé, bien sûr.

VOCABULAIRE

une agence immobilière (n.)
un appartement (n.)
un logement (n.)
un séjour (n.)
un studio (n.)
cher, *ère* (adj.)
confortable (adj.)
grand, *e* (adj.)
meublé, *e* (adj.)
aller (v.)
louer (v.)
passer (v.)
assez (adv.)
quand même (loc.)
trop (adv.)

▶ PHRASES CLÉS

Je cherche un logement/un appartement à louer.
Je vais/elle va passer six mois ici.
Pas trop grand/pas trop petit/pas trop cher.
Un appartement assez confortable/meublé.

CHARGES COMPRISES...

L'agent immobilier propose à Claire plusieurs appartements.

un agent immobilier (n.)
un balcon (n.)
un canapé (n.)
une chaise (n.)
les charges (n. f. p.)
un étage (n.)
un garage (n.)
un lit (n.)
le loyer (n.)
un parc (n.)
une table (n.)
b*eau, elle* (adj.)
charmant, *e* (adj.)
compris, *e* (adj.)
spacieu*x, se* (adj.)
donner (v.)
proposer (v.)
regarder (v.)
à côté (loc.)
même (adv.)
par (prép.)
plusieurs (adj. indéf.)
voici (prép.)

L'agent   Eh bien, voici un charmant petit appartement au premier étage, avec balcon. Celui-ci donne sur un beau parc. (…) Voici un petit appartement assez spacieux avec un garage à côté. (…) Et puis, il y a ce studio avec une petite salle de bains. Il y a un parking également.

Claire   Le studio, ça fait combien par mois ?

L'agent   Le loyer est de 2 500 francs par mois, charges comprises. Bien meublé : table, chaises, canapé, lit, télévision même. (…) Regardez. Prenez votre temps. (…)

PHRASES CLÉS

Eh bien !
Voici un/une…
Au premier étage…
Et puis…
Il y a un parking à côté/ un parc en face.
Loyer et charges comprises/par mois.
Regardez…
Prenez votre temps.

Exercice 12

Tu trouves celui-ci comment ?

Regardez ces photos et décrivez-les.

exemple : Celui-ci est petit, cher, grand, beau, confortable. Celui-là a un canapé, une petite table, etc.

Exercice 13

Vous aimez ou vous n'aimez pas ?

1. Écoutez et répétez ces phrases.

2. Quelles phrases conviennent pour dire que vous aimez ou n'aimez pas ? Mettez une croix dans la bonne case.

	vous aimez	vous n'aimez pas
a) C'est bien	❏	❏
b) C'est horrible	❏	❏
c) J'aime assez	❏	❏
d) J'adore	❏	❏
e) Je déteste	❏	❏
f) Ça me plaît	❏	❏
g) Je n'aime pas tellement	❏	❏

3. Regardez les photos de l'exercice 12.

Dites ce que vous aimez et ce que vous n'aimez pas.

exemple : Celui-ci est horrible.
　　　　　J'adore celui-là.

Exercice 14

Un bel appartement

Écoutez Paul, Claire et Marianne. Ils visitent un appartement. Décrivez l'appartement en mettant une croix dans la bonne case

	vrai	faux
1. L'appartement est au 3e étage.	❏	❏
2. Le salon est très grand.	❏	❏
3. Le canapé est horrible.	❏	❏
4. Il est meublé avec une grande table et des chaises.	❏	❏
5. Il y a une belle salle de bains.	❏	❏
6. La chambre donne sur le parking.	❏	❏

Exercice 15

Une belle maison

Lisez les descriptions ci-dessous. Aidez-vous du dictionnaire et du lexique.

En Charente

Construction aux formes anciennes, matériaux traditionnels, murs blancs, tuiles roses. Elle comprend un rez-de-chaussée, un étage et un garage.

La salle à manger est à côté de la cuisine. L'entrée, l'escalier et le cellier sont à l'arrière de la maison. À l'étage, il y a trois chambres, une salle de bains et un couloir.

En haute Provence

Une maison adaptée au style régional avec un jardin et un balcon. Le rez-de-chaussée comporte un vaste séjour avec une salle à manger et une cuisine. La salle à manger, la chambre, la lingerie et les W-C donnent sur le hall d'entrée. Un passage permet l'accès au garage. À l'étage, il y a deux chambres, avec salle de bains et W-C. Une chambre donne sur le balcon.

Regardez le plan suivant et dites à quelle description il correspond.

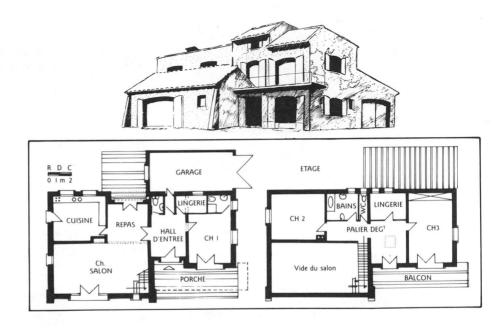

Exercice 16

Et chez vous, c'est comment ?

Dessinez le plan de votre maison ou de votre appartement et décrivez-le à votre groupe.

Exercice 17

À vendre !

Vous cherchez à acheter une maison . Vous lisez les annonces suivantes. Quelle maison aimez-vous ? Décrivez-la à votre groupe et dites pourquoi vous l'aimez.

PRONONCIATION

Écoutez les phrases suivantes et répétez.

1. Ils sont en grève.
2. Accès interdit.
3. Restaurant la Calèche, bonjour.
4. Mettez le canapé ici.
5. J'ai bien regardé.
6. C'est au rez-de-chaussée.

1. Le café.
2. Le kiosque.
3. Le garçon.

GRAMMAIRE

La préposition De

de + article défini
de + le = du   du 16 décembre
de + la = de la   de la société ITEX
de + les = des   le chef des achats

de bons achats
de nouvelles marchandises
de nouveaux modèles

des ➜ **de devant un adjectif au pluriel**

Le pronom démonstratif

	masculin	*féminin*
singulier	**Celui-ci** **Celui-là**	**Celle-ci** **Celle-là**
pluriel	**Ceux-ci** **Ceux-là**	**Celles-ci** **Celles-là**

L'adjectif démonstratif

	singulier	*pluriel*
masculin	**ce** studio **cet** appartement	**ces** studios **ces** appartements

cet devant une voyelle ou un *h* muet

	singulier	*pluriel*
féminin	**cette** maison	**ces** maisons

L'adjectif qualificatif

	singulier	*pluriel*
masculin	Le **petit** déjeuner Un studio **meublé**	Les **petits** déjeuners Des studios **meublés**
féminin	La **grande** chambre Une maison **confortable**	Les **grandes** chambres Des maisons **confortables**

L'adjectif en - ER   *masculin*   cher   *féminin*   chère

L'adjectif en - EUX *masculin*   spacieux   *féminin*   spacieuse
                                      précieux   précieuse

	L'adjectif **Beau**	*singulier*	*pluriel*
masculin		Le **beau** studio	Les **beaux** studios
		Le **bel** appartement	Les **beaux** appartements

bel devant une voyelle ou *h*

| *féminin* | La **belle** maison | Les **belles** maisons |

L'adjectif placé avant le nom   beau, bon, grand, jeune, joli, petit, vieux

Un grand appartement
Un petit studio
Un beau parc

Exercez-vous !

Vous dites comment ?

Écoutez les phrases suivantes et répétez.

masculin

1. Un cas particulier
2. Un appartement spacieux
3. Un beau garçon
   Un bel homme

féminin

Une ville particulière
Une chambre spacieuse
Une belle femme

CULTURELLE

LES CHAMBRES DE COMMERCE

Il existe en France au moins une chambre de commerce par département. Il y a aussi une chambre de commerce par région, soit 22 chambres régionales.

Tous les commerçants et les industriels inscrits au registre du commerce élisent leurs représentants aux chambres de commerce. Les chefs d'entreprise élus ont pour mission de contribuer au développement économique de leur région.

Les chambres de commerce sont financées par la taxe professionnelle payée par les entreprises.

Les chambres de commerce ont pour activités :

– le conseil aux entreprises (bibliothèques, banques de données, centres de documentation, études, missions commerciales...) ;

– la formation (écoles de commerce et d'ingénieurs, centres d'apprentissage, stages...) ;

– la gestion des équipements régionaux (aéroports, zones industrielles, infrastructures...).

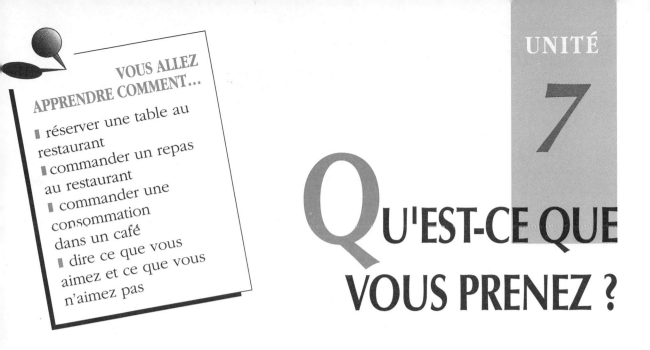

VOUS ALLEZ APPRENDRE COMMENT...

■ réserver une table au restaurant
■ commander un repas au restaurant
■ commander une consommation dans un café
■ dire ce que vous aimez et ce que vous n'aimez pas

QU'EST-CE QUE VOUS PRENEZ ?

UNE TABLE POUR QUATRE

Gérard Leclerc invite Paul, Claire et Marianne au restaurant.
Sa secrétaire téléphone au restaurant Chez Félix.

L'employé	Restaurant Chez Félix !
La secrétaire	Bonjour, monsieur. Je voudrais réserver une table pour ce soir.
L'employé	Bien sûr, madame. Pour combien de personnes ?
La secrétaire	Quatre personnes.
L'employé	À quelle heure ?
La secrétaire	À huit heures.
L'employé	D'accord. Une table pour quatre personnes à huit heures. À quel nom ?
La secrétaire	Au nom de Leclerc.
L'employé	C'est noté, madame. Au revoir.

▶ PHRASES CLÉS

Je voudrais réserver une table pour ce soir/ce midi.
C'est noté.

VOCABULAIRE

inviter (v.)

Exercice 1

Une table pour deux

Annette Louman téléphone au restaurant La Calèche pour réserver une table pour deux personnes à 20 h 30, ce soir.

Complétez le dialogue suivant.

L'employé	Restaurant La calèche. J'écoute.
Annette Louman	....
L'employé	Bien sûr, madame. Pour combien de personnes ?
Annette Louman	....
L'employé	À quelle heure ?
Annette Louman	....
L'employé	D'accord. À quel nom ?
Annette Louman	....
L'employé	C'est noté, madame. Au revoir.

Écoutez le dialogue et comparez-le avec le vôtre.

Exercice 2

C'est noté !

Écoutez le gérant du restaurant Chez Henri. Il prend des réservations au téléphone.

Complétez le tableau ci-dessous.

	Société Leroy	M. Legrand	Mme Dufour
Nombre de personnes			
Jour			
Heure			

À QUEL NOM ?

Gérard, Paul, Claire et Marianne arrivent au restaurant Chez Félix.

La serveuse	Messieurs-dames, bonsoir.
Gérard	Bonsoir. J'ai réservé une table pour quatre personnes.
La serveuse	À quel nom ?
Gérard	Au nom de Leclerc.
La serveuse	Oui. Voilà votre table, là-bas dans le coin. Je vous apporte la carte.
Gérard	Vous avez choisi ? (…) Mademoiselle, s'il vous plaît…

VOCABULAIRE

la carte (n.)
le coin (n.)
apporter (v.)
choisir (v.)

Messieurs-dames, bonsoir.
J'ai réservé une table pour quatre personnes.
Vous avez choisi ?
Mademoiselle s'il vous plaît.

VOCABULAIRE

un cocktail (n.)
la commande (n.)
une crevette (n.)
une entrée (n.)
un melon (n.)
le poulet (n.)
la serveuse (n.)
aimer (v.)
préférer (v.)
beaucoup (adv.)

VOUS AVEZ CHOISI ?

La serveuse prend la commande de Marianne.

La serveuse	Alors, qu'est-ce que vous prenez ?
Marianne	Moi, je prends du poulet. J'aime beaucoup le poulet.
La serveuse	Vous ne prenez pas d'entrée, madame ?
	Cocktail de crevettes ou melon ?
Marianne	D'accord. Je préfère le melon.

▶ **PHRASES CLÉS**

Moi, je prends du poulet.
Je préfère le melon.

ET COMME BOISSON ?

La serveuse prend la commande de Gérard.

Gérard	Pour moi, un cocktail de crevettes et un steak au poivre.
La serveuse	Comment voulez-vous votre steak, monsieur ? Bien cuit, saignant, à point ?
Gérard	À point, s'il vous plaît. Je n'aime pas le steak saignant.
La serveuse	Et comme boisson ? Vin rouge ? Vin blanc ?
Gérard	Apportez un pichet de rouge et une carafe d'eau, s'il vous plaît.
La serveuse	Très bien, monsieur.

VOCABULAIRE

une boisson (n.)
une carafe (n.)
l'eau (n. f.)
un pichet (n.)
le poivre (n.)
un steak (n.)
le vin (n.)
blanc, *che* (adj.)
cuit, *e* (adj.)
rouge (adj.)
saignant, *e* (adj.)
vouloir (v.)
à point (loc.)

▶ **PHRASES CLÉS**

Pour moi, un steak au poivre.
Un steak bien cuit/saignant/à point.
Apportez la carte/un pichet de rouge/une carafe d'eau.

Exercice 3

Qu'est-ce que vous prenez ?

1. Lisez le menu du restaurant La bonne table. Dites ce que vous aimez et ce que vous n'aimez pas.

CARTE

Entrées

Melon nature	40 F
Cocktail d'avocat	45 F
Crudités	30 F
Terrine du chef	40 F

Plats

Escalope de veau	70 F
Ris de veau	80 F
Côte d'agneau	65 F
Entrecôte	75 F

Desserts

Mousse au chocolat	20 F
Crème caramel	20 F
Glaces	28 F
Sorbets	28 F
Fruits de saison	29 F

Exercice 4

À vous de jouer !

Choisissez le menu (entrée, plat, dessert, vin) pour vous, votre femme/mari/ami(e)/collègue et passez votre commande.

exemple : Pour ma femme, un melon nature.

Pour moi, je prends ....

Le joueur A passe la commande au joueur B (le garçon).

un café (n.)
le café (n.)
la crème (n.)
le fromage (n.)
le garçon (n.)
le jambon (n.)
le lait (n.)
une pomme (n.)
un sandwich (n.)
une tarte (n.)
le thé (n.)
un/une touriste (n.)
noir, e (adj.)
manger (v.)
quelque chose (pr. indéf.)
rapidement (adv.)

GARÇON !

Albert et Marlène, deux touristes belges, déjeunent rapidement dans un café. Le garçon prend la commande.

Le garçon	Qu'est-ce que vous voulez ?
Marlène	Un thé au lait, s'il vous plaît.
Albert	Moi, je prends un café.
Le garçon	Café noir ou café crème ?
Albert	Un café noir.
Le garçon	Vous mangez quelque chose ?
Albert	Un sandwich jambon-fromage.
Marlène	Et moi, je prends une tarte aux pommes.

Exercice 5

À vous de jouer !

Mettez-vous par groupe de deux. Le joueur A interroge le joueur B.

– Le petit déjeuner

A Qu'est-ce que vous prenez au petit déjeuner ?

B .... Et vous ?

– Le déjeuner

A ....

B ....

– Le dîner

A ....

B ....

Exercice 6

L'addition, s'il vous plaît !

Quatre amis, Martine, Nicole, Jean-Luc et Bernard sont au café. Le garçon apporte l'addition.

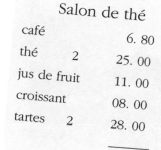

LEVÔTRE
Salon de thé

café		6. 80
thé	2	25. 00
jus de fruit		11. 00
croissant		08. 00
tartes	2	28. 00
		————
		78. 80

Martine a pris un jus d'orange et une tarte aux pommes.
Nicole a pris un thé et un croissant.
Jean-Luc a bu un café. Il n'a pas pris de gâteau.
Bernard a pris un thé et une tarte aux cerises.

Les quatre amis partagent la note.

Calculez combien chaque personne doit payer et complétez la conversation.

Martine	J'ai pris un jus d'orange et une tarte aux pommes. Je dois payer 25 francs.
Nicole	Moi, j'ai pris…
Jean-Luc	....
Bernard	....

Écoutez le dialogue enregistré et comparez.

Exercice 7

Qui choisit quoi ?

Écoutez la conversation au restaurant Au trou normand.

Faites correspondre le nom de la personne au plat choisi.

1. Mme Dufour
2. Anne-Marie
3. Jean-Claude

a) Steak au poivre
b) Poulet flambé à l'armagnac
c) Sole à la normande

Exercice 8

Des produits amoureusement cuisinés

Lisez le texte suivant. Aidez-vous du dictionnaire et du lexique.

Découvrir la France, c'est aussi découvrir sa cuisine.

La cuisine est très importante pour les Français et la cuisine française est connue partout dans le monde. Dans toutes les villes de France, le voyageur peut goûter des spécialités.

Dans les auberges, le propriétaire ou la propriétaire fait la cuisine. Ils ont appris les recettes de leurs parents ou grands-parents. Ils les aiment comme ils aiment leur pays, leur région et leur métier. Dans leur menu, ou dans leur carte, vous trouvez des produits amoureusement cuisinés pour vous.

À Angers, Éric propriétaire du Saint Gourmand, 35 ans, et sa femme Carole, 32 ans, ont pour la cuisine la passion que d'autres ont pour la musique. Il n'a pas de spécialités. Tous ses plats sont des spécialités. Le midi, le repas d'affaires à 150 F vous est servi en trois quarts d'heure.

une auberge (n.)
la cuisine (n.)
les grand-parents (n. m. p.)
le menu (n.)
un métier (n.)
le monde (n.)
la musique (n.)
la passion (n.)
le pays (n.)
un plat (n.)
un produit (n.)
le/la propriétaire (n.)
une recette (n.)
une région (n.)
le repas (n.)
un repas d'affaires (n.)
une spécialité (n.)
la ville (n.)
un voyageur (n.)
connu, e (adj.)
important, e (adj.)
cuisiner (v.)
découvrir (v.)
goûter (v.)
amoureusement (adv.)
partout (adv.)

Vrai ou faux ?

Répondez en mettant une croix dans la bonne case.

	vrai	faux
a) Toutes les villes de France ont des spécialités.	❏	❏
b) Les aubergistes ont appris de leurs enfants à faire la cuisine.	❏	❏
c) Les aubergistes aiment faire la cuisine pour leurs clients.	❏	❏
d) Éric est musicien.	❏	❏
e) Éric a beaucoup de spécialités.	❏	❏
f) Le dîner coûte 150 francs.	❏	❏
g) Les repas d'affaires sont servis toutes les quarante-cinq minutes.	❏	❏

PRONONCIATION

Écoutez les phrases suivantes et répétez.

1. Je vais à Londres.

2. Nous allons à Paris.

3. Où allez-vous? Vous allez où ?

4. Cet enfant.

GRAMMAIRE

L'article partitif

	masculin	féminin
singulier	du pain	de la viande
	du vin	de la tarte
pluriel	des gâteaux	des crevettes

Devant une voyelle ou un *h* muet :

du ➜ de l'argent   de la ➜ de l'eau

Le passé composé
avec **Avoir**
(Verbes réguliers)

J'ai
Tu **as**
Il **a**   **réservé** une table
Elle **a**   **choisi** une entrée
Nous **avons**   **rendu** la carte
Vous **avez**
Ils **ont**
Elles **ont**

Formation des participes passés des verbes réguliers :

verbes en -ER :	réser**ver**	réser**vé**
verbes en -IR :	choi**sir**	choi**si**
verbes en -RE :	ren**dre**	ren**du**

Quelques verbes irréguliers
J'ai
Tu as
Il a   **pris** des gâteaux (du verbe *prendre*)
Elle a   **appris** l'espagnol (du verbe *apprendre*)
Nous avons   **bu** du café (du verbe *boire*)
Vous avez
Ils ont
Elles ont

Formation du passé composé :
Présent de *avoir* + participe passé du verbe

Raconte !

Paul raconte à un collègue son dîner avec Gérard.

Il a mangé......

Nous avons bu......

Écrivez dix phrases pour raconter ce que vous avez mangé ce matin/à déjeuner/à dîner.

LE PRONOM

Le pronom complément d'objet direct

Je prends le poulet.	Je le prends.
Il veut la carte.	Il la veut.
Nous prenons les crevettes.	Nous les prenons.

NOTE CULTURELLE

LES FRANÇAIS À TABLE

Les repas ont une place importante dans la vie des Français.

Au travail, les Français déjeunent à la cantine de l'entreprise ou dans un bistro.

Les entreprises peuvent proposer à leurs employés des chèques-déjeuners.

Beaucoup de restaurants et de cafés acceptent les chèques-déjeuners. Ces chèques sont revendus aux employés par l'employeur : celui-ci paie la moitié du chèque-déjeuner.

Les cadres français commencent à travailler entre 8 et 9 heures. Vos collègues français peuvent vous inviter à un petit déjeuner d'affaires ou de travail. Ils travaillent jusque vers 19 ou 20 heures. Ils habitent souvent la banlieue des grandes villes et prennent le métro, le bus ou leur voiture pour rentrer chez eux. C'est le « métro, boulot, dodo ».

Les contrats sont souvent signés dans une atmosphère conviviale pendant un déjeuner ou un dîner d'affaires.

La *jeune femme* habillée d'une **jolie** robe Vichy grignote une **olive verte** en écoutant **attentivement** son ami qui lui vante le **cinéma** underground **américain** lorsqu'un **garçon** qui *ressemble* à un **acteur connu** dépose devant elle le plat de son **Menu Faim de Nuit** *tandis* que le **maître d'hôtel** remplit le verre du bavard **cinéphile** avant de se diriger vers **deux hommes** qui **portent** des *lunettes* **noires** malgré l'heure tardive et demandent **du citron** pour finir leurs **huîtres.**

Menu
faim de nuit
à 109ᶠ

*A partir de 23 h, un plat,
un dessert et une boisson au choix.*

FLO
TRADITION

Le Vaudeville
29, rue
Vivienne
Paris 2ᵉ
40.20.04.62.

Flo
7, cour des
Petites Ecuries
Paris 10ᵉ
47.70.13.59.

Julien
16, rue du
fbg Saint-Denis
Paris 10ᵉ
47.70.12.06.

La Coupole
102, bd
du Montparnasse
Paris 14ᵉ
43.20.14.20.

**Terminus
Nord**
23, rue de Dunkerque
Paris 10ᵉ
42.85.05.15.

**Le Bœuf
sur le Toit**
34, rue du Colisée
Paris 8ᵉ
43.59.83.80.

3615 FLO

CHÈQUES OU ESPÈCES ?

QUEL EST LE TAUX DE CHANGE, AUJOURD'HUI ?

Gérard Leclerc part en voyage d'affaires en Allemagne pour rendre visite à un nouveau client. Il va à la banque pour changer de l'argent et commander des chèques de voyage.

Gérard	Bonjour. Je voudrais changer mille francs en marks. Quel est le taux de change, aujourd'hui ?
L'employé	Vous voulez des espèces ou des chèques de voyage.
Gérard	Je veux des espèces. Je veux aussi commander des chèques de voyage… en francs.
L'employé	Le change est à 0, 296. Vous avez une pièce d'identité, s'il vous plaît ?
Gérard	Oui, voilà mon passeport. Vous pouvez préparer deux mille francs en travellers ?
L'employé	Oui, bien sûr. Pour jeudi matin, ça va ? (…) Voilà, monsieur. Passez à la caisse, s'il vous plaît.

À la caisse.

L'employée	Voilà, monsieur. Cent, deux cents, deux cent cinquante, soixante, soixante-dix, quatre-vingts, quatre-vingt-dix, quatre-vingt-quinze, quatre-vingt-seize.

▶ PHRASES CLÉS

Je voudrais changer des francs/dollars/pesetas/marks.
Quel est le taux de change ?
Je veux changer des chèques de voyage/deux mille yens.
Ça va ?
Passez à la caisse.

VOCABULAIRE

l'argent (n. m.)
la banque (n.)
la caisse (n.)
le change (n.)
un chèque (n.)
un chèque de voyage (n.)
des espèces (n. f. p.)
le taux de change (n.)
changer (v.)
commander (v.)
rendre visite (v.)

À vous de jouer !

*Mettez-vous par groupe de deux. Joueur A : le client -
joueur B : l'employé.*

*Cherchez le taux de change de votre monnaie nationale
(la devise).*

Aidez-vous du dialogue.

Client A	**Employé B**
votre devise	espèces/travellers ?
taux de change ?	taux de change
chèques de voyage	pièce d'identité ?
passeport	caisse

Exercice 2

Je voudrais des chèques de voyage

*Christian Deloncle travaille dans une banque. Un client,
Frédéric Jamot, téléphone.*

Écoutez la conversation et répondez aux questions suivantes.

a) Combien le client veut-il changer ?

b) Il veut des chèques de combien ?

c) Quelle pièce d'identité doit-il présenter ?

d) Quand vient-il chercher ses chèques de voyage ?

JE VOUDRAIS OUVRIR UN COMPTE...

Claire veut ouvrir un compte à Angers.

L'employé	Madame, vous désirez ?
Claire	Je vais travailler à Angers pendant six mois à partir de janvier et je voudrais ouvrir un compte.
L'employé	Oui. Vous avez une pièce d'identité, s'il vous plaît ?
Claire	Oui. Tenez, ma carte d'identité.
L'employé	Vous êtes de Strasbourg ?
Claire	Oui. J'ai déjà un compte dans votre banque à Strasbourg.
L'employé	Vous avez une adresse à Angers.
Claire	Oui. C'est le 6, rue Saint-Étienne.
L'employé	Votre profession ?
Claire	Chef du personnel chez ITEX.
L'employé	Bien. Vous déposez de l'argent sur votre compte, aujourd'hui ?

VOCABULAIRE

une adresse (n.)
la carte d'identité (n.)
un compte (n.)
l'étranger (n. m.)
le salaire (n.)
une signature (n.)
international, e (adj.)
désirer (v.)
déposer (v.)
ouvrir (v.)
signer (v.)
virer (v.)
directement (adv.)
pendant (prép.)

Claire Oui. Je voudrais déposer trois mille francs aujourd'hui. À partir de janvier, mon salaire va être viré directement sur ce compte.

L'employé J'ai besoin d'une signature. Voulez-vous signer ici, s'il vous plaît… Merci.

Claire Je voudrais aussi une carte de crédit internationale pour mes voyages à l'étranger…

▶ PHRASES CLÉS

Vous désirez ?
Je vais travailler/habiter ici pendant six mois.
Je voudrais ouvrir un compte bancaire/compte courant/un compte joint.
Tenez, voilà ma carte d'identité.
Je voudrais déposer…
Mon salaire va être viré directement…
J'ai besoin de…

Exercice 3

Pour retirer de l'argent

En France, vous pouvez retirer de l'argent 24h/24h, 7 jours sur 7, aux distributeurs automatiques de billets.

Vous voulez retirer de l'argent dans un distributeur automatique.

Faites correspondre chaque opération au dessin qui convient.

VOCABULAIRE

le code (n.)
un distributeur (n.)
le montant (n.)
automatique (adj.)
confidentiel, *le* (adj.)
désiré, *e* (adj.)
composer (v.)
introduire (v.)
retirer (v.)
retirer (*de l'argent*) (v.)

a) Choisir le montant désiré.

b) Retirer votre carte.

c) Prendre les billets.

d) Introduire votre carte.

e) Composer le code confidentiel.

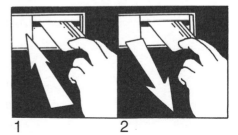

1   2

3

4

5

Exercice 4

À vous de jouer !

Expliquez à votre collègue comment retirer de l'argent dans un distributeur automatique

exemple: Il faut composer le code confidentiel.

Exercice 5

VOCABULAIRE

bénéficier (v.)
garantir (v.)
gérer (v.)
payer (v.)
simplifier (v.)
trouver (v.)

Une carte de crédit, c'est pratique !

Vous vous renseignez dans une banque pour commander une carte de crédit.

Complétez le document ci-dessous avec les verbes suivants :
• bénéficier • garantir • gérer • payer • retirer • simplifier
• trouver.

Aidez-vous du dictionnaire et du lexique.

Avoir une carte de crédit, c'est...

• Pouvoir ...... de l'argent un dimanche, ou un soir à minuit, quand les banques sont fermées.
• Être sûr de ...... de l'argent partout, en voyage.
• ...... vos achats en signant simplement la facture, en France comme à l'étranger.

Voici quelques-uns des services dont vous pouvez ...... grâce à votre carte de crédit. Ces services ont été conçus pour vous ...... la vie, vous aider à mieux ...... votre budget et vous ...... une meilleure sécurité.

Exercice 6

En France comme à l'étranger

Lisez le document suivant. Aidez-vous du dictionnaire et du lexique.

VRAI OU FAUX ?

	vrai	faux
a) Pour payer avec la carte Diners Club, il faut signer.	❏	❏
b) Les boutiques, les restaurants, les hôtels, les compagnies aériennes sont des établissements.	❏	❏
c) En France, vous pouvez retirer 4 000 F par semaine.	❏	❏
d) Avec la carte Diners Club, on ne peut pas retirer d'argent à l'étranger.	❏	❏
e) Vous êtes responsable en cas de vol ou de perte de votre carte.	❏	❏
f) Avec la carte Diners Club, vous pouvez avoir un crédit.	❏	❏
g) Avec la carte Diners Club, vous devez toujours payer vos achats au comptant.	❏	❏
h) Vous pouvez avoir gratuitement une deuxième carte pour un membre de votre famille.	❏	❏

En France comme à l'étranger, DINERS CLUB votre passeport financier.

Une carte de crédit internationale : vous réglez d'une simple signature dans plus d'un million et demi d'établissements : boutiques, restaurants, hôtels, compagnies aériennes, et ce dans le monde entier.

Des distributeurs et des points de retrait dans le monde entier : Vous pouvez retirer avec votre carte jusqu'à 4000 F en France par période de 7 jours dans les agences de la BNP, de la BARCLAYS, de la BANQUE WORMS et de CHEQUE POINT. Et à l'étranger, l'équivalent de 1000 $ US en devises locales dans plus de 27.000 distributeurs automatiques au Canada, au Japon, en Angleterre et aux U.S.A. ainsi que dans tous les bureaux Diners Club dans le monde.

Une protection en cas de perte ou de vol : Il vous suffit de nous téléphoner au (1) 47.62.75 75, vous êtes entièrement protégé contre toute utilisation frauduleuse de votre carte Diners Club.

Une réserve d'argent grâce au crédit permanent :

Diners Club vous offre un crédit de 3.000 à 140.000 F, que vous pourrez utiliser en toute sécurité. Ainsi, vous aurez le choix, chaque mois de régler vos achats en France et dans le monde entier au comptant, en trois versements (avec 45 F de frais forfaitaires) ou à crédit. Si vous souhaitez bénéficier de ce service, il vous suffit de le mentionner sur votre demande de carte.

Votre deuxième carte Diners Club : pour 285 F/an, vous pouvez la faire établir au nom de votre conjoint ou au nom d'un autre membre de votre famille.

Exercice 7

À vous de jouer !

Mettez-vous par groupe de deux. Le joueur A explique à son collègue (joueur B) les avantages de la carte Diners Club. Le joueur B pose des questions.

exemple :

joueur B : Est-ce que je peux payer l'addition au restaurant ?

joueur A : Bien sûr. Vous pouvez (tu peux) payer aussi dans les boutiques et les compagnies aériennes.

C'est possible ?

Christian Deloncle répond aux questions de quatre clients.
Écoutez les questions et trouvez la réponse qui convient.
Voici les réponses données dans le désordre.

a) Oui, vous pouvez ouvrir un compte joint au nom de monsieur ou madame et avoir plusieurs chéquiers.

b) Vous pouvez payer par virement automatique. Vos quittances et vos impôts sont débités automatiquement de votre compte. C'est simple et pratique.

c) Avec une carte bleue vous pouvez retirer de l'argent 24 heures sur 24, 7 jours sur 7, dans un distributeur automatique.

d) Vous pouvez retirer 2 000 F par semaine.

VOCABULAIRE

un chéquier (v.)
un impôt (v.)
une quittance (v.)
un virement (v.)
pratique (adj.)
simple (adj.)
débiter (v.)
automatiquement (adv.)

PRONONCIATION

Écoutez les phrases suivantes et répétez.

1. Je prends celui-ci.
2. Tu t'en vas maintenant.
3. Ils arrivent jeudi.
4. Ils partent demain.

GRAMMAIRE

L'infinitif

(1er groupe) **-Er** payer changer retirer gérer trouver

(2e groupe) **-Ir** garantir

(3e groupe) **-Re** remettre

Le verbe suivi d'un infinitif

vouloir   Je **voudrais changer** un chèque.

pouvoir   Vous **pouvez retirer** de l'argent.

falloir   Il **faut passer** à la caisse.

Le futur avec Aller

aller + **infinitif**

Je **vais**

Tu **vas**

Il **va**   changer un chèque

Elle **va**

Nous **allons**

Vous **allez**   retirer de l'argent

Ils **vont**

Elles **vont**

L'adjectif possessif

	masculin	*féminin*
singulier	**notre** pays	**notre** entreprise
	votre salaire	**votre** banque
pluriel	**nos** passeports	**nos** pièces d'identité
	vos collègues	**vos** rentrées d'argent

NOTE CULTURELLE

LA BANQUE EN FRANCE

L'argent français

En France, l'unité monétaire est le franc. Cent centimes font un franc.
Il y a des pièces d'un franc, deux francs, cinq francs, dix francs et vingt francs.
Il y a aussi des pièces de cinq, dix, vingt et cinquante centimes.
Il y a des billets de vingt francs, cinquante francs, cent francs, deux cents francs et cinq cents francs.

Le système bancaire et financier français

Banque de France

Émission des billets
Banque de l'État
Banque des banques

Trésor public

Encaissement des recettes et règlements des dépenses publiques

Caisse des dépôts et consignation

Centralisation des dépôts des Caisses d'Épargne et de Prévoyance et prêts aux collectivités locales

PRINCIPALES BANQUES FRANÇAISES EN 1991

	Total du bilan (milliards F)	Résultat net (milliards F)	Effectifs (milliers)
1. Crédit agricole	1 591,3	+ 4,9	74,1
2. Crédit lyonnais	1 586,8	+ 3,2	70,6
3. BNP	1 429,0	+ 2,9	58,8
4. Société générale	1 216,0	+ 3,4	45,8
5. Caisses d'épargne	889,6	+ 2,6	36,7
6. Banque Paribas.........	620,1	− 1,8	9,0
7. Union européenne de CIC ..	475,5	+ 0,7	22,0
8. Banques populaires	388,0	+ 1,6	27,3
9. Banque Indosuez	367,2	+ 0,8	16,1
10. Crédit mutuel	355,1	+ 1,3	22,3

INSEE TEF. 93 / 94

PAIEMENTS AUTRES QU'EN ESPÈCES DANS QUELQUES PAYS EN 1990

(%)

	Allemagne	France	Italie (a)	Royaume-Uni
Chèques	9,9	59,3	43,9	51,0
Cartes de crédit	1,5	(b)	2,5	11,0
Cartes de débit.....	0,1	14,2	0,3	3,0
Virements « papier »	24,7	1,1	36,0	7,9
Virements automatisés	26,7	15,1	14,4	13,6
Avis de prélèvement	37,1	10,3	2,9	13,4
Total	100,0	100,0	100,0	100,0

(a) Les données portent sur 80 % du montant total des actifs. (b) Compris dans « avis de prélèvement ».

INSEE TEF. 93 / 94

LES CARTES BANCAIRES

	1990	1991
Parc de cartes (millions)	19,5	19,8
Nombre d'opérations (millions)...........	1 624	1 846
Volume (milliards de F)	582	671
Nombre d'opérations de retrait (millions) ...	446	518
Nombre de factures (millions)...........	1 178	1 328
Nombre de commerces équipés	500 000	510 000

INSEE TEF. 93 / 94

VOUS ALLEZ APPRENDRE COMMENT…
- acheter des cadeaux
- acheter des vêtements
- demander son chemin
- parler au futur

QU'EST-CE QUE VOUS CHERCHEZ ?

Claire et Paul sont en ville. Ils veulent faire des achats. Paul interroge une passante dans la rue.

Paul	Pardon, madame. Pouvez-vous nous dire où nous trouverons des magasins pour faire des achats ?
Une passante	Qu'est-ce que vous cherchez ?
Paul	Eh bien, du vin de la région, des cassettes, des vêtements, des parfums, des cadeaux…
La passante	Eh bien, allez au bout de cette rue, puis tournez à gauche. Vous verrez, c'est une rue très commerçante. Vous trouverez des magasins de vêtements… Il y a aussi les Nouvelles Galeries, c'est moins cher.
Paul	Et pour les vins ?
La passante	Qu'est-ce que vous cherchez comme vin ?
Paul	Des vins de la région.
La passante	Alors, allez à la Maison du vin. Vous prenez cette rue, puis la première à droite.
Paul	Merci bien, madame.
La passante	Je vous en prie, monsieur.

▶ PHRASES CLÉS

Pouvez-vous me dire où nous trouverons…
Allez au bout de cette rue.
Tournez à gauche/à droite.
Prenez la première (rue) à droite/à gauche.

VOCABULAIRE

un achat (n.)
le bout (n.)
un cadeau (n.)
une cassette (n.)
la droite (n.)
la gauche (n.)
un magasin (n.)
un parfum (n.)
un/une passant, e (n.)
la rue (n.)
un vêtement (n.)
commerçant, e (adj.)
interroger (v.)
tourner (v.)
voir (v.)
comme (conj.)
moins (adv.)
puis (adv.)

Exercice 1

Des cadeaux pour toute la famille

Pendant son séjour à Saumur, Georges Nomikos, un homme d'affaires grec, veut acheter des cadeaux pour sa famille.

Lisez les annonces suivantes et indiquez-lui le magasin qui convient.

VOCABULAIRE

un cigare (n.)
un jouet (n.)
sportif, ve (adj.)

exemple:
Je voudrais des cigares pour mon père.
Il faut aller à la Civette, place Bilange.

1. Je voudrais quelque chose pour mon fils, il est très sportif.

2. Je voudrais un beau cadeau pour ma femme.

3. Je voudrais un jouet pour ma fille. Elle a 6 ans.

4. Je voudrais de bons vins.

Maison LELOGEAIS
Jouets: Jeux de Société, Peluches ...
6 Avenue du Général de Gaulle – SAUMUR
41 67 78 33

CADEAUX – SOUVENIRS
VITRINES A CIGARES CLIMATISÉES
La Civette TABAC
3, Place Bilange (prés du Théâtre) 49400 SAUMUR Tél. 41 51 14 55
Ouvert tous les jours de 7 H 30 à 19 H 30

BEAUTÉ-SERVICE
Yvonne FREDET
Parfumerie
ESTEE LAUDER – SHISEIDO – YVES SAINT-LAURENT – DIOR etc
40, rue D'Orléans – SAUMUR – ☎ 41 51 06 39

Prêt à Porter Féminin
Rayon Spécial Grandes Tailles **Madeleine Lambert**
29, Place Bilange – **SAUMUR** ☎ 41 51 07 86

SPORT 2000
LACOSTE
TECHNIQUE & TEXTILE SPORT-LOISIRS
tennis, golf, ski, natation, danse, musculation, running, sports d'équipe
Votre magasin SPORT 2000
GT Sport, 11 rue St Jean – 49400 SAUMUR Tél. 41 51 28 35

CAVES DE GRENELLE
Méthode Champenoise – Méthode traditionnelle
SAUMUR BRUT – MÉTHODE AROMATISÉE:
Pêche Impériale – Poire Impériale – Orange Impériale – Myrtille Impériale
Caves de Grenelle 20 rue Marceau 49400 SAUMUR
Tél. : 41.50.17.63 — Fax: 41.50.83.65

Exercice 2

Où est-ce ?

VOCABULAIRE

une avenue (n.)
le centre-ville (n.)
un château (n.)
une église (n.)
un hôpital (n.)
l'hôtel de ville (n.)
l'office du tourisme (n.)
la place (n.)
un plan (n.)
un pont (n.)
le quai (n.)
un renseignement (n.)
la route (n.)
continuer (v.)
demander (v.)
traverser (v.)

Georges Nomikos demande des renseignements au réceptionniste de l'hôtel Anne d'Anjou, quai Mayaud.

Suivez les directions sur le plan ci-contre.

1. La place Bilange ? Bon, vous prenez la direction centre-ville jusqu'à l'office du tourisme. Puis vous tournez à gauche.

2. Avenue du Général-de-Gaulle ? Vous prenez la direction centre-ville jusqu'à l'office du tourisme. Puis, vous tournez à droite.

3. Rue Saint-Jean. Bon, vous continuez tout droit jusqu'à l'office du tourisme. Vous tournez à gauche et puis vous prenez la première rue à gauche. Ça, c'est la rue Saint-Jean.

4. Rue d'Orléans ? Bon alors vous allez jusqu'au centre-ville. Vous tournez à gauche et vous traversez la place Bilange. Vous continuez tout droit et c'est la rue d'Orléans.

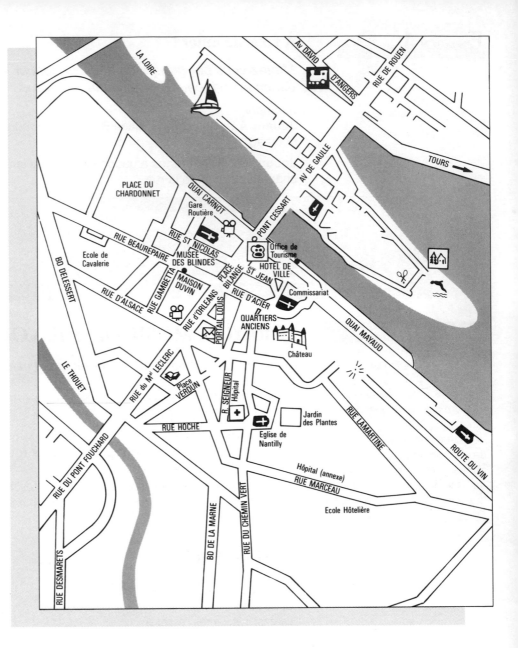

Vous continuez/allez tout droit…

Exercice 3   Où suis-je ?

Écoutez ces quatre personnes. Suivez les directions sur le plan et indiquez où elles se trouvent.

À vous de jouer !

Mettez-vous par groupe de deux. Le joueur A demande une direction au joueur B. Aidez-vous du plan.

exemple

Joueur A : Je me trouve place Bilange, je voudrais aller visiter le château.

Joueur B : Vous prenez à gauche la rue d'Acier, vous trouverez le château au bout de la rue.

LE RAYON MUSIQUE, S'IL VOUS PLAÎT ?

Claire et Paul font des achats dans un grand magasin.

Paul	Excusez-moi, je cherche des disques compacts.
Le vendeur	Le rayon musique est au rez-de-chaussée, là-bas, juste après l'escalier roulant.
Paul	Et les livres ?
Le vendeur	Au sous-sol. Vous prenez l'escalier roulant, ou l'ascenseur qui est en face de l'escalier. (…)

▸ PHRASES CLÉS

Je cherche des disques compacts.
Et les livres?
Là-bas, juste après l'escalier.
Vous faites du combien ?

CLAIRE ACHÈTE UN CHEMISIER

La vendeuse	Bonjour, madame. Est-ce que je peux vous aider ?
Claire	Je cherche un chemisier.
La vendeuse	C'est pour vous ? Vous faites du combien ?
Claire	Je fais du 42.
La vendeuse	Qu'est-ce que vous préférez comme couleur ? J'ai ce modèle en bleu, blanc ou rose.
Claire	Le rose me plaît beaucoup. Je peux l'essayer ?
La vendeuse	Bien sûr. Les salons d'essayage sont en face. (…)

VOCABULAIRE

un chemisier (n.)
la couleur (n.)
une jupe (n.)
un modèle (n.)
un salon d'essayage (n.)
la taille (n.)
une vitrine (n.)
bleu, *e* (adj.)
bon, *ne* (adj.)
joli, *e* (adj.)
rose (adj.)
aider (v.)
essayer (v.)
penser (v.)
plaire (v.)
certainement (adv.)

Cela vous va très bien, madame.

Claire Vous pensez que c'est la bonne couleur ?

La vendeuse Certainement !

Claire Vous avez une jolie jupe bleue en vitrine.

La vendeuse Vous voulez l'essayer ? C'est votre taille.

(…)

◢ PHRASES CLÉS

Est-ce que je peux vous aider ?
Vous faites du combien ?
Je fais du *36*.
Le rose/bleu/blanc me plaît beaucoup.
Je peux l'essayer ?
Cela vous va très bien.
Vous avez une jolie jupe/un joli chemisier en vitrine.

Exercice 5

Vous voulez l'essayer ?

Vous êtes dans un grand magasin. Vous allez au rayon vêtements. Il y a :

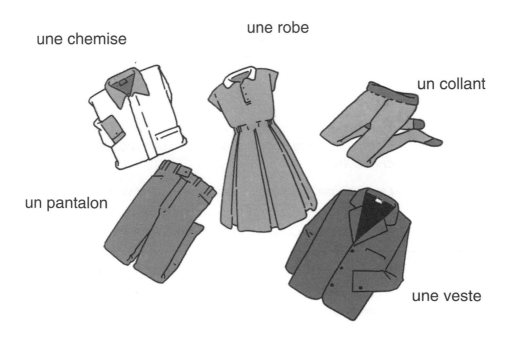

une chemise

une robe

un collant

un pantalon

une veste

VOICI LES TAILLES FRANÇAISES

FEMMES

Tailles à commander	34	36	38	40	42	44	46	48	50	52	54	56	58	60
Tour de poitrine en cm (1)	78 à 82	82 à 86	86 à 90	90 à 94	94 à 98	98 à 102	102 à 106	106 à 112	112 à 118	118 à 124	124 à 130	130 à 136	136 à 142	142 à 148
Tour de taille en cm (3)	56 à 60	60 à 64	64 à 68	68 à 72	72 à 76	76 à 80	80 à 84	84 à 90	90 à 96	96 à 102	102 à 110	110 à 118	118 à 126	126 à 134
Tour de bassin en cm (4)	84 à 88	88 à 92	92 à 96	96 à 100	100 à 104	104 à 108	108 à 112	112 à 116	116 à 122	122 à 128	128 à 134	134 à 140	140 à 146	146 à 152

HOMMES et JUNIORS

VESTES, PULLS, SWEAT, TEE-SHIRT, PYJAMAS,
SOUS-VÊTEMENTS, ETC.

(1) votre tour de cou correspond à l'encolure — **spécial grandes tailles**

											spécial grandes tailles			
Tour de poitrine en cm (2)	78 à 81	82 à 85	86 à 89	90 à 93	94 à 97	98 à 101	102 à 105	106 à 109	110 à 113	114 à 117	118 à 121	122 à 125	126 à 129	130 à 133
Commandez la taille	80	84	88	92	96	100	104	108	112	116	120	124	128	132
Équivalence en tailles normalisées	40	42	44	46	48	50	52	54	56	58	60	62	64	66

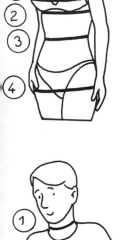

PANTALONS, SHORTS, SLIPS, CALEÇONS

											spécial grandes tailles			
Tour de taille en cm (3)	70 à 73	74 à 77	78 à 81	82 à 85	86 à 89	90 à 93	94 à 97	98 à 101	102 à 105	106 à 109	110 à 113	114 à 117	118 à 121	122 à 125
Tour de bassin en cm (4)	89 à 91	92 à 94	95 à 97	96 à 100	101 à 103	104 à 106	107 à 109	110 à 112	113 à 115	116 à 118	119 à 120	121 à 122	123 à 124	125 à 126
Comandez la taille	72	76	80	84	88	92	96	100	104	108	112	116	120	124
Équivalence en tailles normalisées	36	38	40	42	44	46	48	50	52	54	56	58	60	62

Une vendeuse vient vers vous.
Complétez le dialogue suivant en vous aidant des documents ci-dessus.

La vendeuse	Bonjour. Est-ce que je peux vous aider ?
Vous	....
La vendeuse	C'est pour vous ? Vous faites du combien ?
Vous	....
La vendeuse	Qu'est-ce que vous préférez comme couleur ?
Vous	....
La vendeuse	Bien sûr. Le salon d'essayage est en face.

Exercice 6

Dans un grand magasin

Regardez ci-dessous le plan d'un grand magasin. Faites correspondre chaque question à la réponse qui convient.

VOCABULAIRE

une chaussure (n.)
une femme (n.)
un homme (n.)
la librairie (n.)
un meuble (n.)
la papeterie (n.)
la parfumerie (n.)
une réclamation (n.)
un salon de coiffure (n.)
les toilettes (n.f.p.)
et cetera (etc.) (loc.)

1. Pardon, monsieur. Pouvez-vous me dire où je trouverai le restaurant ?

2. Pardon, madame. Il y a un téléphone ici ?

3. Le rayon vêtements femmes, s'il vous plaît.

4. Excusez-moi, je cherche la papeterie.

5. S'il vous plaît madame, où se trouve le rayon musique ?

a) Les disques, etc. ? Au rez-de-chaussée à côté des vêtements hommes.

b) Au premier étage, juste en face de l'escalier roulant.

c) C'est ici, au rez-de-chaussée, au fond.

d) Oui, mademoiselle, au deuxième étage à côté des toilettes.

e) Au deuxième étage, près de l'escalier roulant.

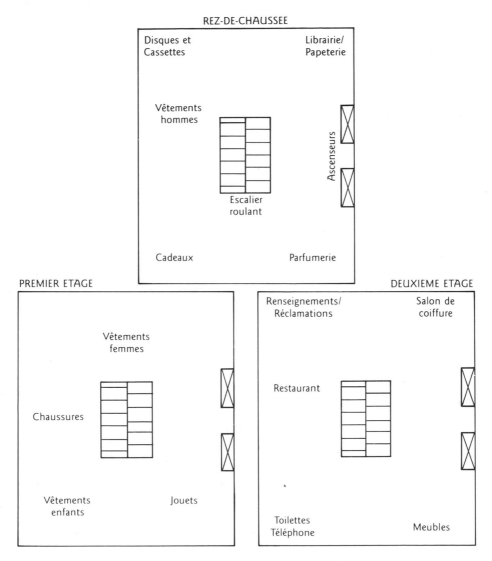

REZ-DE-CHAUSSEE
Disques et Cassettes
Librairie/Papeterie
Vêtements hommes
Ascenseurs
Escalier roulant
Cadeaux
Parfumerie

PREMIER ETAGE
Vêtements femmes
Chaussures
Vêtements enfants
Jouets

DEUXIEME ETAGE
Renseignements/Réclamations
Salon de coiffure
Restaurant
Toilettes Téléphone
Meubles

Exercice 7

Au supermarché

Voici le plan d'un supermarché. Indiquez pour chaque produit le rayon qui convient. Aidez-vous d'un dictionnaire et du lexique.

une côte d'agneau
un paquet de yaourts
un paquet de riz
une boîte de glace à la vanille
une boîte d'asperges
un aquarium
une paire de chaussons
une bouteille d'eau minérale

un filet de sole
un lampadaire
un morceau de gruyère
un grille-pain
une raquette de tennis
une tarte aux pommes
un marteau
un manteau

une brosse à dents
un vélo
un râteau
une prise de courant
une bande dessinée
un jeu d'échecs
un melon
un kilo de carottes

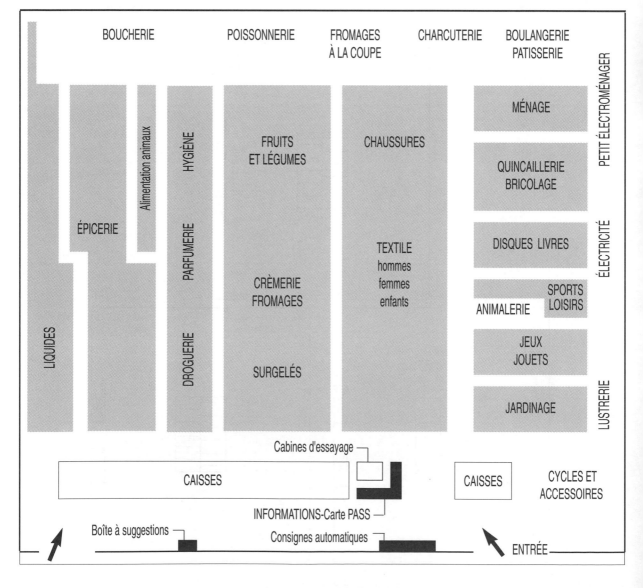

Exercice 8

La carte Pass

Dans les grands magasins et les supermarchés vous pouvez payer vos achats avec une carte.

Lisez le document suivant. Aidez-vous du dictionnaire.

La carte Pass

La carte Pass a deux fonctions. C'est une carte de paiement. Vous n'avez besoin ni d'argent liquide ni de chéquier. Vous présentez tout simplement la carte et en utilisant votre code secret vous pouvez faire jusqu'à 5 000 FF d'achats par semaine. Elle est aussi une carte de crédit permanent, vous disposez d'un prêt de 2 000 à 20 000 FF.

VRAI OU FAUX ?

	vrai	faux
a) Avec la carte Pass, vous payez en liquide.	☐	☐
b) Pour payer avec la carte Pass, vous devez taper un code confidentiel.	☐	☐
c) Vous pouvez effectuer 20 000 FF d'achats par mois.	☐	☐
d) Vous pouvez payer à crédit.	☐	☐

Exercice 9

Un importateur écrit

*Manuel Rodrigo a une fabrique de chapeaux en Espagne.
Il a reçu une lettre d'un client français.*

VOCABULAIRE

un article (n.)
l'attente (n. f.)
une brochure (n.)
un chapeau (n.)
une fabrique (n.)
une gamme (n.)
un importateur (n.)
une lettre (n.)
direct, e (adj.)
compléter (v.)
connaître (v.)
écrire (v.)
envisager (v.)
envoyer (v.)
implanter (v.)
recevoir (v.)
afin de (loc)
lors de (adv.)

Saint-Avertin
le 15 mars 199-

Messieurs,
Nous sommes importateur direct en chapeaux (cérémonie, mariée...). Nous sommes implantés sur toute la France. Pour compléter notre gamme de produits, nous cherchons de nouveaux fabricants.

Pourriez-vous nous envoyer une brochure ou des photos de vos produits avec un tarif, afin de connaître vos articles et envisager un rendez-vous lors de notre prochain voyage en Espagne ?

Dans l'attente de vous lire, veuillez agréer, Messieurs, nos salutations distinguées.

Henri Yves

Répondez aux questions suivantes.

a) Quel est le métier de M. Yves ?

b) Où se trouve l'entreprise de M. Yves ?

c) Que demande M. Yves à Manuel Rodrigo ?

d) M. Yves va-t-il aller en Espagne ?

PHRASES CLÉS

Pourriez-vous… ?
Veuillez agréer, Messieurs, nos salutations distinguées.

Exercice 10 — De toutes les couleurs

Écoutez et répétez les noms des couleurs.

- blanc/blanche
- noir/noire
- bleu/bleue

- rouge
- rose
- orange

- jaune
- vert/verte
- beige

- brun/brune
- gris/grise

Exercice 11 — Je voudrais commander.

Monsieur Yves passe une commande par téléphone à Manuel Rodrigo.
Notez la commande en complétant le tableau ci-dessous.

	couleur	numéro d'article	prix
a			
b			
c			
d			
e			
f			

PRONONCIATION

Écoutez les phrases suivantes et répétez.

1. J'adore manger un sandwich.

2. Il a acheté un tee-shirt.

3. Il porte des baskets.

4. Un pull en coton.

GRAMMAIRE

L'impératif présent

Pour donner un ordre :

Tournez à droite
Tournez à gauche
Continuez tout droit
Prenez la première rue/la deuxième rue/la troisième rue à droite
Traversez la place/la rue/le pont

Le présent de Faire (verbe irrégulier)

Je fais	Nous faisons
Tu fais	Vous faites
Il/elle fait	Ils/elles font

La forme impersonnelle
Pour parler du temps :

Il fait beau	Il fait du vent
Il fait mauvais	Il fait du soleil

mais

Il pleut	Il neige

Le futur des verbes réguliers

Trouver

Je trouverai	Nous trouverons
Tu trouveras	Vous trouverez
Il/elle trouvera	Ils/elles trouveront

Elle trouvera une chemise verte.

Choisir Nous choisirons un appartement dans le centre-ville.

Prendre Je prendrai une tarte

Le futur des verbes irréguliers

Être   Je **serai** en Suisse demain matin.

Avoir   J'**aurai** le temps de le faire demain.

Venir   Je **viendrai** vous voir.

Pouvoir   Je **pourrai** vous téléphoner au bureau.

Vouloir   Je **voudrai** partir ce soir.

Il **ne** vient **plus** me voir.
Je n'aime **ni** Jean **ni** Luc.
Je **n'**ai **rien** à déclarer.

Note Culturelle

LA CONSOMMATION DES FRANÇAIS

CONSOMMATION DES MÉNAGES

	Consom. (milliards de F)	Variation annuelle en volume (%)			Coefficients budgétaires	
	1992	1985-1990	1991	1992	1970	1992
PAR FONCTION						
Alimentation, boisson, tabac	**793,7**	**1,7**	**1,6**	**0,8**	**26,0**	**18,9**
dont : *Viandes*	*209,1*	*0,8*	*1,5*	*— 0,8*	*7,4*	*5,0*
Lait, fromages, œufs	*96,9*	*1,9*	*2,9*	*1,5*	*2,7*	*2,3*
Poissons	*38,2*	*4,8*	*3,2*	*— 1,5*	*0,9*	*0,9*
Fruits frais non tropicaux	*32,4*	*0,4*	*— 12,5*	*10,7*	*1,3*	*0,8*
Boissons alcoolisées	*80,8*	*1,3*	*— 1,1*	*— 0,5*	*3,0*	*1,9*
Tabac	*49,7*	*0,9*	*2,8*	*— 0,6*	*1,5*	*1,2*
Habillement y.c. chaussures	**261,1**	**0,7**	**— 1,3**	**— 1,3**	**9,6**	**6,2**
Logement, chauffage, éclairage	**854,6**	**2,5**	**4,6**	**2,5**	**15,3**	**20,3**
dont : *Logement*	*594,2*	*3,7*	*3,2*	*3,1*	*11,2*	*15,7*
Chauffage, éclairage	*163,6*	*— 0,1*	*9,3*	*0,3*	*3,6*	*3,9*
Équipement et entretien du logement	**326,6**	**2,2**	**— 0,9**	**0,4**	**10,2**	**7,8**
dont : *Meubles, accessoires*	*95,2*	*2,0*	*— 5,4*	*— 2,5*	*2,7*	*2,3*
Services médicaux et de santé	**419,1**	**6,7**	**5,5**	**5,2**	**7,1**	**10,0**
dont : *Médicaments*	*103,8*	*8,6*	*6,8*	*6,0*	*2,4*	*2,6*
Médecins et dentistes	*187,7*	*7,7*	*6,3*	*4,6*	*2,8*	*4,5*
Transports et communications	**685,7**	**3,9**	**— 2,1**	**1,7**	**13,4**	**16,3**
dont : *Achat de véhicules*	*151,5*	*6,6*	*— 11,0*	*3,1*	*2,6*	*3,6*
Transports collectifs	*94,5*	*2,0*	*— 1,6*	*2,8*	*2,2*	*2,3*
Loisirs, culture	**322,2**	**6,2**	**1,6**	**0,9**	**6,9**	**7,7**
dont : *Matériel électronique*	*35,8*	*13,7*	*— 0,1*	*0,4*	*0,8*	*3,4*
Livres, quotidiens, périodiques	*62,5*	*1,4*	*— 0,6*	*— 0,9*	*1,5*	*1,5*
Autres biens et services	**545,4**	**3,1**	**— 0,9**	**0,2**	**11,5**	**13,0**
dont : *Hôtels, cafés, restaurants, voyages*	*299,8*	*2,5*	*— 0,9*	*— 0,8*	*6,1*	*7,1*
Consommation nationale (y.c. non marchande)	**4 208,4**	**3,2**	**1,2**	**1,5**	**100,0**	**100,0**

INSEE TEF. 93 / 94

VOUS ALLEZ APPRENDRE COMMENT...

▮ demander de l'essence dans une station-service
▮ obtenir les services d'un garage
▮ comprendre les signaux routiers
▮ passer la douane

Bonne route !

LE PLEIN, S'IL VOUS PLAÎT !

Claire revient pour six mois à Angers. Elle est en voiture.
Elle s'arrête dans une station-service.

Claire	Le plein, s'il vous plaît !
Le pompiste	Normal, super ou sans plomb ?
Claire	Super, s'il vous plaît.
Le pompiste	(…) Vous voulez que je vérifie l'huile et l'eau ?
Claire	Oui, s'il vous plaît.
Le pompiste	(…) Vous n'avez besoin ni d'eau ni d'huile.
Claire	Bon. Je vous dois combien ?
Le pompiste	Alors, le plein de super, ça fait 163 francs.
Claire	Voilà un billet de 500 francs. Je suis désolée, je n'ai pas de monnaie. Vous me donnez un reçu, s'il vous plaît.
Le pompiste	Bien sûr. Voilà, madame. Au revoir et bonne route !

PHRASES CLÉS

Le plein s'il vous plaît ?
Je vous dois combien ?
Ça fait ... francs.
Vous me donnez un reçu ?
Bonne route !

VOCABULAIRE

le besoin (n.)
l'essence (n. f.)
l'huile (n. f.)
le plein (n.)
le plomb (n.)
le pompiste (n.)
un reçu (n.)
la route (n.)
une station-service (n.)
normal, e (adj.)
s'arrêter (v.)
vérifier (v.)
sans (prép.)

Exercice 1

VOCABULAIRE

le niveau (n.)
le pare-brise (n.)
un pneu (n.)
la pression (n.)
une roue (n.)
changer (v.)
essuyer (v.)
gonfler (v.)
laver (v.)

À la station-service

Il y a plusieurs raisons pour s'arrêter à une station-service.

Faites correspondre chaque verbe avec l'expression qui convient.

1. Faire		**a)**	le niveau d'huile
2. Laver		**b)**	le pare-brise
3. Essuyer		**c)**	un pneu
4. Gonfler		**d)**	une roue
5. Vérifier		**e)**	le plein
6. Changer		**f)**	la voiture

Exercice 2

Super ou sans plomb ?

Paul s'arrête pour faire le plein d'essence sans plomb. Il veut faire vérifier l'huile, l'eau et la pression des pneus. Son pare-brise est sale. Il veut un reçu.

1. Complétez le dialogue ci-dessous.

Paul	....
Le pompiste	Normal, super ou sans plomb ?
Paul	....
Le pompiste	Vous voulez que je vérifie l'huile ?
Paul	....
Le pompiste	Voilà. C'est fait. Ça fait 180 francs pour l'essence.
Paul	....
Le pompiste	Bien sûr. Voilà, monsieur. Au revoir et bonne route.

VOCABULAIRE

sale (adj.)

2. Écoutez le dialogue et comparez-le avec le vôtre.

Exercice 3

VOCABULAIRE

une caravane (n.)
un garage (n.)
une pièce détachée (n.)
contrôler (v.)
réparer (v.)

SOS dépannage

Voici des enseignes de garage.

Où pourrez-vous aller pour :

a) faire réparer votre caravane ?

b) acheter des pièces détachées ?

c) faire contrôler votre voiture ?

Exercice 4

Le code de la route

Faites correspondre chaque panneau routier à la bonne définition.

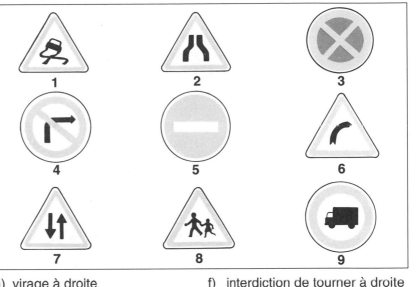

a) virage à droite

b) chaussée glissante

c) circulation dans les deux sens

d) attention ! enfants

e) sens interdit

f) interdiction de tourner à droite

g) accès interdit aux camions de marchandises

h) arrêt et stationnement interdits

i) chaussée rétrécie

Exercice 5

Location de voiture

Lisez le texte suivant.

En France, les nombreuses agences de location proposent des voitures de marques françaises et étrangères. Les agences locales offrent des tarifs plus avantageux que les agences internationales, mais vous devrez généralement rendre la voiture là où vous l'avez louée, et non dans une autre ville.

Il faut avoir vingt et un ans minimum (vingt-cinq ans dans certaines agences) pour pouvoir louer une voiture.

Vous devrez présenter un permis de conduire valable et une pièce d'identité.

On vous demandera une caution, formalité dont vous pourrez régler le montant par carte de crédit.

VRAI OU FAUX ?

	vrai	faux
1. En France, vous pouvez seulement louer des voitures de fabrication française.	❏	❏
2. Les agences internationales sont moins chères.	❏	❏
3. Avec les agences locales, vous pouvez rendre votre voiture dans une autre ville.	❏	❏
4. Un permis de conduire et une pièce d'identité sont nécessaires pour louer une voiture.	❏	❏
5. On peut louer une voiture à 18 ans.	❏	❏
6. Pour louer une voiture, il faut avoir une carte de crédit.	❏	❏

VOS PAPIERS, S'IL VOUS PLAÎT !

Roger, un chauffeur de camion, transporte de Suisse en France des pièces détachées pour l'usine d'Angers.

Le douanier	Bonjour, monsieur. Vos papiers, s'il vous plaît !
Roger	Les voilà… permis de conduire, carte grise et certificat d'assurance.
Le douanier	Merci. Vous avez votre passeport ? Où allez-vous ?
Roger	À Angers. Je livre des pièces détachées pour l'entrepôt d'une usine.
Le douanier	Vous n'avez rien à déclarer ?
Roger	Non, rien du tout.
Le douanier	Voulez-vous garer votre camion là-bas, s'il vous plaît. Il faut que je fouille votre chargement.
Roger	Oh, non ! C'est pas vrai ! Vous en avez pour longtemps ?
Le douanier	Quinze minutes, maximum !
	(…)

VOCABULAIRE

une assurance (n.)
la carte grise (n.)
le chargement (n.)
un certificat (n.)
la douane (n.)
le douanier (n.)
l'entrepôt (n.)
le maximum (n.)
une minute (n.)
un papier (d'identité) (n.)
fouiller (v.)
garer (v.)
livrer (v.)
transporter (v.)
longtemps (adv.)
rien (pr. indéf.)

▶ PHRASES CLÉS

Les voilà… permis de conduire, carte grise.
Vous n'avez rien à déclarer ? Rien du tout.
C'est pas vrai !

Exercice 6

Votre passeport, s'il vous plaît !

Vous êtes en voyage d'affaires en France. Vous avez un rendez-vous à Paris et vous avez juste le temps d'arriver à l'heure. Vous êtes à l'aéroport et vous passez la douane.

Complétez le dialogue suivant.

Le douanier	Bonjour ! Votre passeport, s'il vous plaît.
Vous	....
Le douanier	Vous venez en vacances ?
Vous	....
Le douanier	Vous n'avez rien à déclarer ?
Vous	....
Le douanier	je dois fouiller vos bagages.
Vous	....
Le douanier	Non. Dix minutes maximum.

Écoutez le dialogue et comparez-le au vôtre.

Exercice 7

En panne

Écoutez le dialogue entre un automobiliste et un garagiste et répondez aux questions suivantes.

1. Qu'est-ce qui est arrivé à l'automobiliste ?
2. Que va faire le garagiste ?

VOCABULAIRE

un automobiliste (n.)
un garagiste (n.)
la panne (n.)

Écoutez les phrases suivantes.

1. J'adore la campagne.

2. Je n'aime pas les fraises.

3. J'arrive tous les matins à onze heures.

4. Toulouse est une ville sympathique.

GRAMMAIRE

LE VERBE

Le passe composé avec **Être**

Les verbes de mouvement : arriver, monter, descendre, aller, venir

Je suis allé(e)
Tu es allé(e)
Il est allé
Elle est allée
Nous sommes allé(e)s
Vous êtes allé(e)s
Ils sont allés
Elles sont allées

Les verbes pronominaux : s'arrêter, se lever, s'appeler...

Je **me** suis levé(e)
Tu **t'**es levé(e)
Il **s'**est levé
Elle **s'**est levée
Nous **nous** sommes levé(e)s
Vous **vous** êtes levé(e)s
Ils **se** sont levés
Elles **se** sont levées

Le participe passé s'accorde avec le sujet: -e (f.) -es (f. pl.) -s (m. pl.)

NOTE CULTURELLE

CONDUIRE EN FRANCE

**Pour entrer en France avec une voiture immatriculée
à l'étranger, il faut :**

– un permis de conduire valable ;

– un certificat d'immatriculation ;

– un indicateur de nationalité autocollant ;

– un triangle de panne ;

– des ampoules de rechange.

Une assurance tous risques est recommandée.

Le port de la ceinture de sécurité est obligatoire.

Les enfants de moins de dix ans doivent voyager à l'arrière.

AJUSTEMENT DE LA VITESSE

▪ REGLES GENERALES

Je dois toujours rester maître de ma vitesse et conduire avec prudence c'est-à-dire en respectant les limitations de vitesse mais aussi en choisissant la vitesse adaptée aux circonstances.

Les personnes qui viennent d'obtenir leur premier permis ont besoin d'acquérir de l'expérience.
Pendant un an, leur vitesse est limitée à 90 km/h.
Cette limitation doit être signalée à l'arrière gauche du véhicule par un disque blanc portant le nombre 90 inscrit en noir.
Ce disque ne doit pas être placé sur la vitre arrière.

▪ VITESSES MAXIMALES AUTORISEES

Type de route \ Conditions de circulation	Conditions normales de circulation	Temps de pluie et autres précipitations. (essuie-glaces en fonctionnement)	Visibilité inférieure à 50 m
Autoroutes :	130 km/h	110 km/h	50 km/h
Routes à deux chaussées séparées par un terre-plein et sections d'autoroute munies de panneaux (110)	110 km/h	100 km/h	50 km/h
Autres routes :	90 km/h	80 km/h	50 km/h
Agglomération :	50 km/h	50 km/h	50 km/h

Les véhicules dont le PTAC est supérieur à 3,5 tonnes sont soumis à des limitations de vitesses différentes.

VOUS ALLEZ APPRENDRE COMMENT...

▮ trouver une direction dans le métro parisien
▮ comprendre des documents touristiques
▮ comprendre des renseignements sur les transports français

SI ON ALLAIT À PARIS ?

ÇA VOUS DIT ?

Gérard Leclerc reçoit Franck Mitchell, un client anglais.

Gérard   C'est la première fois que vous venez en France ? Vous connaissez Paris ?

Franck   Non, je n'y suis jamais allé, sauf mardi dernier, pour prendre le train et venir ici. Je voudrais y passer un week-end.

Gérard   J'y vais samedi. Si on y allait ensemble. On peut faire les endroits touristiques : l'Arc de triomphe, les Champs-Élysées, la tour Eiffel… Ça vous dit ?

Franck   Oh, oui, pourquoi pas ! Ce sera très intéressant.

Gérard   Vous aimez les musées ? Attention, ils sont fermés le mardi, mais ils sont ouverts le week-end.

Franck   Ça coûte cher, la visite ?

Gérard   Ça dépend. Entre 30 et 45 francs. Le soir, on pourra aller au cinéma ou au théâtre et dîner au restaurant.

Franck   Ça me plairait énormément.

PHRASES CLÉS

Si on allait...
Ça vous dit ?
Pourquoi pas !
Ce sera très intéressant.
Ça coûte cher ?
Ça dépend.
Ça me plairait beaucoup.

VOCABULAIRE

le cinéma (n.)
un endroit (n.)
la fois (n.)
le musée (n.)
le soir (n.)
le théâtre (n.)
le week-end (n.)
dernier, ère (adj.)
fermé, e (adj.)
intéressant, e (adj.)
touristique (adj.)
coûter (v.)
recevoir (qqu'un) (v.)
énormément (adv.)
ensemble (adv.)
entre (prép.)
jamais (adv.)

Exercice 1

Si on allait à Saumur !

Gérard propose à Claire d'aller à Saumur. Complétez le dialogue.

Gérard	Vous connaissez Saumur ?
Claire	....
Gérard	Si on y allait un dimanche ? On peut faire les endroits touristiques - le musée, le château... Ça vous dit ?
Claire	....
Gérard	Vous aimez les musées ? Ils sont ouverts le week-end. Le soir, on pourra aller au théâtre et manger au restaurant après...
Claire	....

Écoutez le dialogue et comparez-le avec le vôtre.

Exercice 2

À vous de jouer !

Lisez ce document et faites des propositions de visite.

Utilisez les expressions suivantes.

Si on allait à .....
un samedi ?
On peut visiter...
Ça vous dit d'aller...

COMMENT FAIRE?	QUE VOIR?
BASTILLE ● Prendre le bateau CANAUXRAMA au port de l'Arsenal (départ 10 h).* ● Vous êtes pressés : au M° Jaurès, prendre la navette (1/2 h). Départ toutes les heures quai de la Loire sur le Bassin de la Villette.	**BASTILLE** Place de la Bastille Opéra de la Bastille Promenade de 3 h sur le canal St-Martin jusqu'au Parc de la Villette. Voûtes de la Bastille Ponts tournants et écluses Bicyclub Canal de l'Ourcq
CH. DE GAULLE-ETOILE ● Prendre la ligne 6, direction Nation par Denfert. ◉ Descendre à Trocadéro.	**CH. DE GAULLE-ETOILE** *Arc de Triomphe △ Champs Elysées
TOUR EIFFEL ● Prendre le 69 à Champ de Mars-Suffren. Descendre à Solférino-Bellechasse.	**TOUR EIFFEL** Champ de Mars
PONT NEUF ● Descendre à Pont Neuf.	**PONT NEUF** Pont Neuf-Croisière sur la Seine
QUARTIER LATIN ou St-Michel ou Eglise St-Sulpice ou Place du 18 Juin 1940.	**QUARTIER LATIN** Ile de la Cité. Marché aux fleurs. *Conciergerie △ *Ste-Chapelle *Notre-Dame Bd St-Michel *Musée Delacroix Couvent des Cordeliers △ Bd St-Germain

Ouvert ou fermé ?

Lisez les textes suivants et complétez les tableaux ci-dessous par ouvert ou fermé.

Le Louvre, ancien palais royal, est le musée le plus célèbre du monde. Vous y trouverez *la Joconde* de Léonard de Vinci, la *Vénus* de Milo et des antiquités égyptiennes et orientales. Il est ouvert le jeudi, vendredi, samedi et dimanche de 9 h à 18 h, le lundi et mercredi de 9 h à 21 h 45, et fermé le mardi.

Beaubourg – le centre national d'art et de culture Georges-Pompidou – est ouvert de 12 h à 22 h en semaine et de 10 h à 22 h le week-end et les jours fériés. Il est connu à cause de son architecture moderne. À l'intérieur, vous trouverez une bibliothèque d'information, un laboratoire de recherche musicale et le musée national d'Art moderne.

Le Louvre

	lundi	mardi	mercredi	jeudi	vendredi	samedi	dimanche
9 h–12 h							
12 h–18 h							
18 h–21 h 45							

Beaubourg

	lundi	mardi	mercredi	jeudi	vendredi	samedi	dimanche
10 h–12 h							
12 h–22 h							

VOCABULAIRE

la correspondance (n.)
l'est (n.)
la ligne (n.)
le nord (n.)
l'ouest (n.)
un panneau (n.)
le sud (n.)
le système (n.)
pareil, le (adj.)
indiquer (v.)
marcher (v.)
savoir (v.)
d'abord (loc.)
justement (adv.)
par exemple (loc.)

C'EST TRÈS PRATIQUE

Gérard et Franck sont à Paris. Ils prennent le métro.

Franck   J'ai pris le métro seulement une fois, mardi dernier pour aller de la gare du Nord à la gare Montparnasse. Ce n'est pas le même système que le métro de Londres.

Gérard   Je ne sais pas. Ça marche comment à Londres ?

Franck   Eh bien, on trouve la ligne et on prend la direction est-ouest ou nord-sud. Pour les correspondances, il faut suivre les panneaux qui indiquent le nom de la ligne.

Gérard   À Paris, ce n'est pas tout à fait pareil. On suit la direction de la station au bout de la ligne. Par exemple, nous sommes à Montparnasse et nous allons au musée du Louvre. La station s'appelle justement Louvre - c'est très pratique - donc il faut d'abord prendre la direction Porte de Clignancourt jusqu'à Châtelet, puis la direction Grande Arche de la Défense jusqu'au Louvre. On y va ?

PHRASES CLÉS

Ça marche comment ?
On prend la direction…
Il faut suivre les panneaux.
Il faut prendre la direction…
On y va ?

Exercice 4

Suivez le guide !

Voici le programme de visite de Gérard et Franck.

1. Visite au musée du Louvre.

2. Déjeuner sur les Champs-Elysées (métro Étoile).

3. Visite de Notre-Dame (métro Cité).

4. Dîner dans un restaurant à Montparnasse.

5. Retour.

Regardez le plan de métro ci-dessous et indiquez les directions à prendre pour chaque étape de la journée. Gérard et Franck partent de l'Étoile.

exemple : Pour aller à… il faut prendre la direction… jusqu'à…

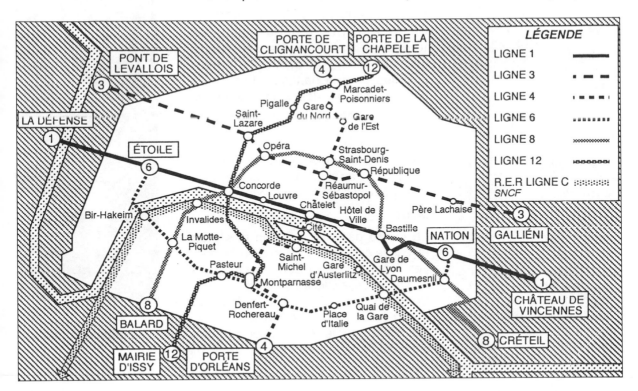

Exercice 5

En bateau-mouche

Gérard et Franck visitent Paris en bateau-mouche.

Écoutez les commentaires du guide et mettez dans le bon ordre les phrases ci-dessous données dans le désordre.

1. Maintenant, nous passons sous le Pont-Neuf.

2. Et maintenant nous arrivons à Notre-Dame.

3. Vous avez les Invalides sur votre droite.

4. Le Châtelet et un peu plus loin, l'Hôtel-de-Ville, sont à gauche.

5. Le musée du Louvre est sur votre gauche.

6. À droite, le musée d'Orsay.

7. Sur votre gauche vous voyez le jardin des Tuileries.

Exercice 6

Les transports parisiens

Lisez le texte suivant.

Autobus

Le service d'autobus de la RATP est efficace et très étendu, mais pas toujours rapide à cause de la circulation. Il est particulièrement pratique pour la banlieue. Les arrêts sont signalés par des panneaux rouges et jaunes avec le numéro de la ligne. Les bus circulent généralement de 7 h du matin à 20 h 30 : certains roulent jusqu'à minuit et demi. Selon le trajet, vous payerez 1, 2 ou 3 tickets, que vous pouvez acheter dans le bus.

Métro

Le métro parisien est l'un des plus efficaces et des plus propres du monde. Les lignes de RER relient les banlieues au centre de la ville en un temps record. Vous pouvez acheter des tickets de métro à l'unité ou par carnets de dix. Les billets pour le RER sont un peu plus chers. Le premier métro part à 5 h 30, le dernier vers une heure du matin.

Taxi

Vous pouvez héler un taxi dans la rue, ou le prendre à une station. Vous payerez non seulement le prix indiqué par le taximètre, mais aussi un tarif qui est affiché sur la fenêtre du taxi, par exemple, un supplément pour les bagages.

VOCABULAIRE

un autobus (n.)
un bagage (n.)
la fenêtre (n.)
le prix (n.)
un record (n.)
un supplément (n.)
le temps (n.)
le trajet (n.)
l'unité (n.)
affiché, e (adj.)
efficace (adj.)
étendu, e (adj.)
indiqué, e (adj.)
propre (adj.)
rapide (adj.)
signalé, e (adj.)
meilleur marché (adj.)
bon marché (adj.)
héler (v.)
relier (v.)
rouler (v.)
à cause de (loc.)
en moyenne (loc.)
particulièrement (adv.)
selon (prép.)

VRAI OU FAUX ?

	vrai	faux
1. Les autobus vont très vite dans Paris.	☐	☐
2. Il n'y a pas d'autobus en banlieue parisienne.	☐	☐
3. Tous les autobus roulent la nuit.	☐	☐
4. Le métro parisien est le plus sale du monde.		
5. En banlieue, on peut prendre le métro pour aller à Paris.	☐	☐
6. Le RER n'est pas rapide.	☐	☐
7. On vend seulement des carnets de dix tickets.	☐	☐
8. Les métros circulent toute la nuit.	☐	☐
9. Vous pouvez arrêter un taxi dans la rue.	☐	☐
10. Vous devez payer le tarif affiché sur la fenêtre du taxi.	☐	☐

Écoutez les phrases suivantes et répétez.

1. Quelle imagination !
2. Ce n'est pas de ma compétence.
3. Il est spécialiste en droit.
4. L'entreprise a subi un préjudice important.

GRAMMAIRE

LE VERBE

Connaître

Connaître une personne ou un pays
exemple : Vous connaissez Paris ?

Je connais Michel.
Tu connais Paris ?
Il connaît l'italien.
Elle connaît ce restaurant.
Nous connaissons Berlin.
Vous connaissez Jean-Paul ?
Ils connaissent l'Espagne.
Elles connaissent cette rue.

Savoir

Savoir un fait
exemple : Tu sais que Pierre habite en Angleterre ? Oui, je sais.

Je sais qu'il a téléphoné à huit heures.
Il est très intelligent, tu sais !
Il sait conduire.
Elle sait à quelle heure est le rendez-vous.
Nous savons qu'il est très bien comme professeur.
Vous savez que c'est son anniversaire ?
Ils savent cuisiner.
Elles savent que Pierre habite en Grèce maintenant ?

Je sais, c'est bien connu !

Complétez les phrases suivantes avec connaître *ou* savoir.

1. Je .... un petit restaurant très sympathique.
2. Vous .... si Paul est déjà parti ?
3. Il .... nager.
4. Je .... très bien l'Italie.
5. On ne .... jamais.

LE PRÉPOSITION

Les constructions verbales

La préposition De

Décider **de**
Ils ont décidé **de** venir.
Proposer **de**
Il a proposé à Paul **d'**aller faire un tour.

LE PRONOM

Le pronom démonstratif

Cela/ça

Cela vous dit ?	**Ça** vous dit ?
Cela me plairait.	**Ça** me plairait.

L'ADVERBE

L'adverbe de lieu Y

On **y** va ?
Je n'**y** suis jamais allé.

L'ADJECTIF

L'adjectif comparatif

Il est **plus** intelligent **que** moi.
Marc est **moins** sympathique **que** Paul.
Elle est **aussi** jolie **que** sa collègue.

L'adjectif superlatif

Le métro **le plus** propre du monde.
La ville **la plus** belle de France.
Les endroits **les plus** intéressants de Paris.

NOTE CULTURELLE

SORTIR À PARIS

Si vous êtes invité en France pour un dîner d'affaires, habillez-vous d'une façon élégante. Vous pouvez apporter ou faire livrer un bouquet de fleurs à la maîtresse de maison. Cela se fait.

Souvent, les hommes d'affaires français invitent leurs clients dans un grand restaurant ou encore à voir un spectacle comme celui du Lido ou du Moulin Rouge.

Si vous voulez sortir à Paris, vous pouvez acheter dans les kiosques à journaux *l'Officiel des spectacles*, *Pariscope* ou *7 à 7* pour connaître les horaires des spectacles, des cinémas et des musées et la liste des restaurants ouverts après minuit.

ET VOUS ? QUE FERIEZ-VOUS ?

Vous êtes en voyage d'affaires à Lyon.
Vous voulez sortir et vous demandez à un collègue français de vous indiquer des lieux de divertissement.

Mettez-vous par groupe de deux.

Le joueur A fait des suggestions au joueur B.

exemple :

Joueur A : Si on allait écouter du jazz ?

Joueur B : Je n'aime pas le jazz. J'aime la musique classique.

À vous de continuer !

Théâtres et concerts

AUDITORIUM - Harry Lapp concerts 90/91. **Paul Tortelier** violoncelle; **Maud Martin**, violoncelle et **Maria de la Pau**, piano. Bach, Haendel, Debussy, Tortelier, Paganini. Lundi 10 décembre, 20.30. Location 78.60.37.13

L'ACCESSOIRE – Café théâtre. **Fais comme l'oiseau, mais pas sur mon parebrise**, 3 hommes fracassés par leur humour fracassant. Mercredis, jeudis, vendredis à 21.00, samedi 20.00 et 22.00. Prudent réserver Tél. 78.27.84.84

COMEDIENS REUNIS - 207, r. P. Bert. **Le paradis des assureurs** (8e sem.). Super comique! Idéal pour les fêtes de fin d'année. Ts les ven. sam. (20.45), dim. (15.30). Représ. suppl. pour les fêtes. Tél. 78.37.47.52 ou 78.53.93.12.

OPERA A L'AUDITORIUM - Tristan et Isolde/Wagner. Orch. National de Lyon, dir. Th. Fulton. M. en scène: F. Rochaix. Déc. cost. J.-Cl. Maret. Ecl. J.-Ph. Roy. Les 5 (18.30), 9 (16.00). **Gilgamesh**/Martinu. Orch. Opéra, dir. A. Tamayo. Le 7 déc. à 20.30. **Roméo et Juliette**/Prokofiev. Lyon Opéra Ballet. Orch. Opéra, dir K. Nagano. Chor. A. Preliocaj. Déc. cost. Enki Bilal. Les 27 (19.30). 28, 29, 31 (20.30), 30 (17.00). Pour tous ces spectacles loc. kiosque annexe Hôtel-de-Ville du lundi au vendredi 11.00/18.00 ou kiosque Part-Dieu du lundi au samedi 11.00/18.00. Tél. 78.28.09.60.

Lyon la nuit

Cabarets

LE DOLLAR ONE - Ouvert 7 jrs/7, dès 22.30. Du jeudi au dimanche, entrée gratuite pour les dames. **Nuits ardentes avec 7 créatures de rêve « Dorlann show », Paris c'est fou.** Prudent de réserver. Dollar One, 4, rue Mulet, Lyon 69001. Tél. 72.00.84.00

Piano bar

LE SWING - Animation **Roland Rivet.** 5, rue Port du Temple, 2e. **Jazz** le 6 à 22.00. **J.L. Almosnino, Nadège trio.**

Bowling

BOWLING AMF PART-DIEU SNOOKERS (billards anglais). Bd Eugène Deruelle. (Centre com./entrée Galeries Laf.). Ecrans couleur informatisés. Ouv. ts les jrs de 11.00 à 1.00 du mat. (w.-end 2.00). **6 snookers. Ambiance sympa.** Snack, bar, cocktails. **Tél. 78.62.64.32.**

Expositions

GALERIE DES GRANGES - 41 rue des R. D'Ainay 69002 Lyon. 78.38.28.60 (métro Ampère). Le peintre impressionniste **Maximilien Luce** (1858-1941) huiles et dessins 1er décembre. 15 janvier (Ouvert ts les jours dim. compris).

Discothèques à Lyon

LE LAGON BLEU - 145, rue de Thizy, centre Villefranche s/S. 74.82.12.93, **Pub-discothèque** mer. jeu: de 17.00 à 4.00

NEW HOLLYWOOD - 6, rue Henri Barbusse, Lyon-8e, **Danse rétro.** Matinées lundi, jeudi, dimanche de 14.30 à 20.00. Soirées mercredi, vendredi, samedi de 21.30 à 3.00. Ts les jeudis à partir du 29/11, orchestre de 21.30 à 3.00. Tél. 78.69.42.77.

PARADISO CLUB INTERNATIONAL - 24, rue Pizay, Lyon-1. Près Opéra. Rens. 78.28.07.85. **Jeudi 6 décembre, soirée Flash back.** Nombreux cadeaux dès 22.00. **Jeudi 13 décembre, soirée Tex Mex** ambiance sud américaine téquila dès 22.00.

ÉVOLUTION DES PRATIQUES DE LOISIRS

		(%)
Proportion des individus ayant pratiqué l'activité suivante...	1967	1987-1988
Regarder la télév. ts les jours ou presque . . .	51	82
Lire un quotidien tous les jours ou presque . .	60	42
Lire une revue ou un magazine régulièrement	56	79
Aller au théâtre au moins une fois par an	21	18
Assister à un spectacle sportif au moins 5 fois par an	17	9
Avoir visité un salon ou une foire-exposition depuis un an	33	56
Avoir visité un musée depuis un an	18	32
Avoir visité un château ou un monument depuis un an	30	41
Sortir le soir au moins une fois par mois	30	48
Aller au restaur. au moins une fois par mois .	8	25
Recevoir des parents ou des amis pour un repas au moins une fois par mois	39	64
Participer régulièrement à au moins une association	11	18
Écouter la radio tous les jours ou presque . . .	67	75
Danser au moins 5 ou 6 fois par an	20	30

INSEE TEF. 93 / 94

VOUS ALLEZ APPRENDRE COMMENT...

▮ prendre un rendez-vous chez le médecin
▮ décrire vos symptômes
▮ comprendre les prescriptions médicales

EN CAS DE MALADIE...

JE VOUDRAIS PRENDRE RENDEZ-VOUS...

Franck Mitchell n'est pas bien. Il téléphone pour prendre rendez-vous chez un médecin.

Franck	Bonjour. Je voudrais prendre rendez-vous pour aujourd'hui.
La secrétaire	Un instant, s'il vous plaît. Pouvez-vous venir à dix heures et demie ?
Franck	Oui, ça ira.
La secrétaire	Quel est votre nom ?
Franck	Mitchell
La secrétaire	Ça s'écrit comment ?
Franck	M. I. T. C. H. E. deux L.
La secrétaire	Vous êtes anglais ?
Franck	Oui.
	(…)

Docteur Patrick BELLIARD
MEDECINE GENERALE
CONSULTATIONS TOUS LES JOURS
DE 8H A 9H ET DE 13H30 A 16H
LE SOIR SUR RENDEZ VOUS

VOCABULAIRE

le médecin (n.)
comment (adv.)

▶ PHRASES CLÉS

Je voudrais prendre rendez-vous pour aujourd'hui pour demain/ pour la semaine prochaine.
Ça ira.
Ça s'écrit comment ?

Exercice 1

De A à Z

Écoutez les lettres de l'alphabet et répétez.

Épelez votre nom en vous aidant du langage des téléphonistes.

exemple :

Mon nom est SCHMIDT. J'épelle : S comme Suzanne,
C comme Célestin, H comme Henri, M comme Marcel,
I comme Irma, D comme Désiré, T comme Thérèse.

Le langage des téléphonistes

A : Anatole	J : Joseph	S : Suzanne
B : Berthe	K : Kléber	T : Thérèse
C : Célestin	L : Louis	U : Ursule
D : Désiré	M : Marcel	V : Victor
E : Émile	N : Nicolas	W : William
F : François	O : Oscar	X : Xavier
G : Gaston	P : Pierre	Y : Yvonne
H : Henri	Q : Quintal	Z : Zoé
I : Irma	R : Raoul	

Exercice 2

À vous de jouer !

Mettez-vous par deux. Chacun joue un rôle.
Le joueur A : le/la malade.
Le joueur B : le/la secrétaire médicale.

Joueur A	**Joueur B**
Prendre rendez-vous	11 h ?
Plus tard, le soir ?	18 h ?
Bien	Nom, Épelez SVP.
	Français ?

Exercice 3

Allô, docteur !

Écoutez la secrétaire du docteur Bonnet. Elle prend des rendez-vous au téléphone…

Notez les rendez-vous dans le tableau ci-dessous.

	Nom	Heure de rendez-vous	Jour
1			
2			
3			

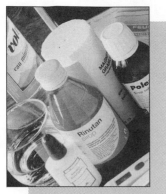

QU'EST-CE QUE VOUS AVEZ ?

Franck Mitchell est chez le médecin.

Le médecin	Alors, qu'est-ce que vous avez ?
Franck	Eh bien, j'ai mal à la tête et un peu de fièvre. J'ai mal à la gorge depuis quelques jours.
Le médecin	Et vous toussez ?
Franck	Oui, un peu.
Le médecin	C'est la grippe. Je vous fais une ordonnance pour des antibiotiques à prendre trois fois par jour et un sirop pour la toux. Mais faites attention. Le sirop vous endormira un peu. Ne conduisez surtout pas si vous avez sommeil. Prenez aussi des fortifiants, de la vitamine C, par exemple.
Franck	D'accord.
Le médecin	Je vais remplir une feuille de maladie. Vous avez une assurance médicale ?
Franck	Oui.
Le médecin	La consultation coûtera 110 francs. Vous vous ferez rembourser plus tard.

VOCABULAIRE

un antibiotique (n.)
la consultation (n.)
une feuille de maladie (n.)
la fièvre (n.)
un fortifiant (n.)
la gorge (n.)
la grippe (n.)
la maladie (n.)
une ordonnance (n.)
un sirop (n.)
le sommeil (n.)
la tête (n.)
la toux
une vitamine (n.)
médical, e (adj.)
conduire (v.)
endormir (v.)
rembourser (v.)
tousser (v.)
un peu (adv.)
plus tard (loc.)
surtout (adv.)

► PHRASES CLÉS

Qu'est-ce que vous avez ?
J'ai mal à la tête/à la gorge/au ventre.
J'ai un peu de fièvre depuis une semaine/quelques jours/hier.
Faites attention !
À prendre 3 fois par jour.

J'ai mal partout

Lisez la notice de ces médicaments. Dites pour quelle maladie ils sont indiqués ?

1. un mal de gorge
2. un mal de dents
3. une indigestion
4. une infection des bronches
5. un dérangement intestinal

VOCABULAIRE

un comprimé (n.)
une douleur (n.)
une gélule (n.)
une indication (n.)
une infection (n.)
un médicament (n.)
une notice (n.)
une posologie (n.)
une prescription (n.)
un traitement (n.)
sucer (v.)
avaler (v.)
croquer (v.)
fondre (v.)

Aspirine UPSA

Comprimés effervescents
Indications:
– états grippaux
– douleurs dentaires
– migraines

Maalox

Comprimés
Indications:
– gastrites
– dyspepsies
Posologie:
1 à 2 comprimés à sucer ou à croquer après les repas

---

ercéfuryl 200
nifuroxazide
Comprimés
Indications:
le traitement des diarrhées
Posologie:
– durée du traitement selon prescription médicale

---

oropivalone
bacitracine

Comprimés
Indications:
– laryngites
– angines
Posologie:
laisser fondre, sans croquer, 4 à 10 comprimés par jour

Oracéfal

Gélules à 500 mg
Indications:
– Infections respiratoires
Posologie:
2 g par jour
3 g à 4 g pour les infections plus sévères
avaler les gélules avec un peu d'eau

Gardez la forme !

Complétez en écrivant le bon numéro. Aidez-vous du lexique.

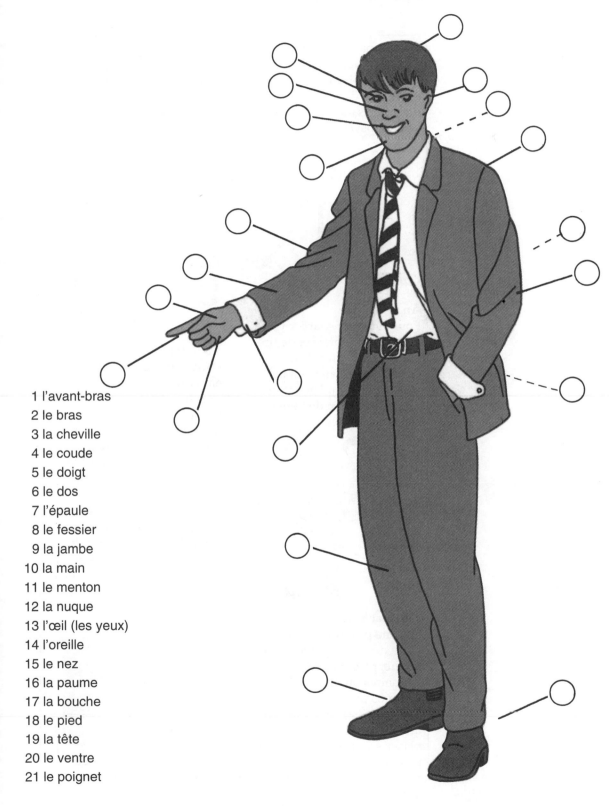

1 l'avant-bras
2 le bras
3 la cheville
4 le coude
5 le doigt
6 le dos
7 l'épaule
8 le fessier
9 la jambe
10 la main
11 le menton
12 la nuque
13 l'œil (les yeux)
14 l'oreille
15 le nez
16 la paume
17 la bouche
18 le pied
19 la tête
20 le ventre
21 le poignet

Lisez ce texte.

Relevez et soulignez dans ce texte les différentes parties du corps mentionnées.

Il suffit parfois de quelques «trucs» pour retrouver de bonnes habitudes et un dos droit, non douloureux, signe de bonne santé et d'épanouissement psychique.

Au téléphone

Pour éviter de courber votre colonne vertébrale et de tirer sur la nuque du côté de l'oreille collée au combiné, placez tout simplement une pile de livres ou de revues sous vos coudes.

A la machine à écrire

Pour ne pas trop arrondir votre dos, vos épaules et la nuque, placez quelques annuaires ou un petit banc sous vos pieds: cela suffit à tout redresser. N'oubliez pas, quand vous lisez assis, de placer vos avant-bras bien à plat jusqu'aux coudes.

Au bureau

Dos calé à la chaise, entre-croisez les doigts, paumes en l'air. Abaissez les doigts le plus bas possible. Tendez les jambes à l'horizontale, pointes vers vous. Votre dos vous «remerciera».

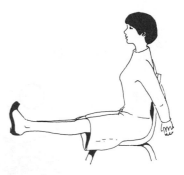

Au volant

Dans la voiture, mains sur le haut du volant, pieds à plat sous les pédales, repoussez fort les pieds et les mains en rentrant ventre et menton: finies les crampes. A l'extérieur, les pieds sur le bas de la caisse, les mains accrochées au toit, les paumes dirigées vers le ciel, tendez les jambes et baissez la tête le plus bas possible. C'est une mise en tension globale des bras, nuque, dos, fessiers, jambes et chevilles.

Exercice 6

Qu'est-ce que je peux prendre ?

Vous êtes à la pharmacie. Il y a trois personnes devant vous.

Vous écoutez leurs questions et les réponses du pharmacien.

Remplissez le tableau ci-dessous.

	Les symptômes	Le(s) médicament(s)	Le dosage
1			
2			
3			

VOUS N'ÊTES PAS BLESSÉ ?

Claire est témoin d'un accident entre un automobiliste et un motocycliste.

Claire	Qu'est-ce qui s'est passé ?
L'automobiliste	Eh bien, il a pris le tournant sans regarder. Je n'ai pas pu m'arrêter. J'ai glissé et j'ai heurté le réverbère. Lui, il est tombé de sa moto. Il ne bouge plus.
Claire	Il ne faut pas le déplacer. Il faut appeler le SAMU. Et vous, vous n'êtes pas blessé ?
L'automobiliste	Eh bien, moi, j'ai mal au bras. J'ai tourné un peu vite le volant. Ma femme n'est pas blessée, heureusement, mais elle souffre du choc. La voiture est bien abîmée quand même.
Claire	Restez-là. Je vais appeler Police Secours.

Qu'est-ce qui s'est passé ?

Vous êtes témoin de l'accident.
À l'arrivée de Police Secours, vous racontez ce qui s'est passé.
Vous avez dessiné le plan ci-dessous.

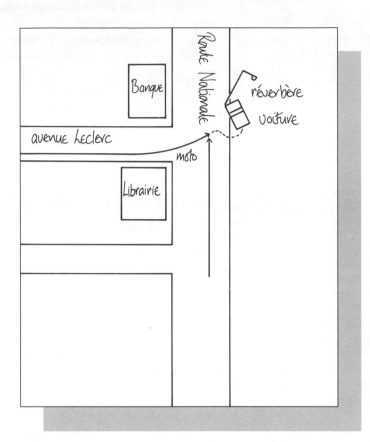

Exercice 8

À vous de jouer !

Vous avez été témoin d'un accident. Regardez les dessins ci-dessous et racontez ce qui s'est passé.

Exercice 9

Faits divers

1. Lisez les articles de presse suivants.

Recherche de témoins

Jeudi 11 septembre rue de Veyner à 17 h 55, une cyclomotoriste Mlle Alexia Tronchin, étudiante (Carouge) est entrée en collision frontale avec la voiture conduite par M. Franz Sutter, fonctionnaire d'État (Chêne-Bougeries). La jeune fille a été blessée lors de cet accident. La brigade motorisée remercie les éventuels témoins de l'accrochage de bien vouloir prendre contact au n° 27 52 40, principalement le conducteur d'une voiture Mercedes portant des plaques françaises qui circulait dans le même sens que la jeune blessée.

Cyclomoteur contre auto

7 h 55, boulevard James-Frazy, Mme Teresa Trivino, médecin (Genève), circule en voiture en direction de la gare et accroche une cyclomotoriste, Mlle Christine Tanner, étudiante (Genève), qui roulait dans le même sens et qui a été blessée.

2. Complétez le tableau ci-dessous.

Fait divers	Heure/jour et lieu de l'accident	Nom et profession de l'automobiliste	Nom et profession de le/la cyclomotoriste	Résumé de l'accident	Nom du/de la blessé(e)
1					
2					

3. Rédigez un article de presse racontant l'accident de l'exercice 7 ou 8.

Exercice 10

Que faire en cas d'accident ?

Lisez le texte suivant.

ALERTER LES SECOURS

La survie d'un blessé dépend pour une large partie de la rapidité d'intervention des secours.

On alerte de toute urgence au moyen du téléphone le plus proche :

– la police (en ville) ou la gendarmerie (en campagne) en appelant le 17 ;
– les pompiers, si nécessaire, en appelant le 18 ;
– le SAMU en appelant le 15.

Pour permettre une localisation rapide et une organisation efficace des secours, on indique :

– en ville : le nom de la rue, le numéro de l'immeuble le plus proche ;
– en rase campagne : des repères tels que les bornes kilométriques, les carrefours, les panneaux de direction, etc. ;
– la nature de l'accident (dégâts matériels, blessés) ;
– les véhicules impliqués : voitures de tourisme, camions, motocyclettes, etc. ;
– le nombre des blessés et leur état apparent (respiration, hémorragie),
– les risques particuliers éventuels ; chaussée encombrée, incendie, etc.

À défaut de téléphone, on demande à un autre usager de donner l'alerte.

Classez chacune des expressions suivantes relevées dans le texte dans la colonne qui lui correspond. Indiquez s'il s'agit d'une (de) personne(s), d'un véhicule ou d'un élément de l'infrastructure routière.

Aidez-vous d'un dictionnaire.

• un blessé • les bornes kilométriques • les carrefours • les camions • la chaussée • la gendarmerie • les motocyclettes • les panneaux de direction • la police • les pompiers • les voitures de tourisme • un usager

personne(s)	véhicule(s)	infrastructure(s) routière(s)
un blessé		

PRONONCIATION

Écoutez les phrases suivantes et répétez.

1. Mais dis donc !
2. C'est quoi ça ?
3. Il n'est pas encore arrivé ?

4. Salut les filles !
5. On est tous réunis ?
   Alors on commence.

GRAMMAIRE

LE VERBE

L'expression du passif

La forme pronominale de sens passif :
Ça s'écrit comment ?
Le verbe *se faire* + infinitif
Vous vous ferez rembourser plus tard.

Le participe présent

Formation : radical de la 1ʳᵉ personne du pluriel du présent + ant

traverser :	nous traversons	en traversant
apprendre :	nous apprenons	en apprenant
appeler :	nous appelons	en appelant

Entraînant, n'est-ce pas ?

Formez les participes présents des verbes suivants :

• aimer • rendre • partir • vouloir • pouvoir • aller

Les constructions verbales

Téléphoner à	Je dois téléphoner à Jean pour son anniversaire.
Répondre à	Répondez à cette question avant de continuer.
Empêcher de	On ne peut pas empêcher un douanier de fouiller.
Dépendre de	Cela ne dépend pas de moi.

LE PRONOM

Le pronom tonique

Moi, je ...	Nous, nous...
Toi, tu ...	Vous, vous...
Lui, il ...	Eux, ils...
Elle, elle ...	Elles, elles.....

Moi, je n'aime pas conduire.
Nous allons à New York, ma femme et **moi.**
Lui, il n'est pas blessé.
Tu viens avec **moi** ?

LES ASSURANCES EN FRANCE

Instituée en 1945, la Sécurité sociale couvre les travailleurs et leur famille contre les risques de maladie, maternité, accidents, invalidité, décès et vieillesse.

En cas de maladie, elle rembourse une partie des dépenses engagées par l'assuré et ses ayants droit pour se soigner et verse des revenus si l'assuré est obligé de s'arrêter de travailler par suite de maladie.

Pour bénéficier de l'assurance maladie, il faut avoir travaillé 1 200 heures dans l'année ou être assuré volontaire et avoir suffisamment cotisé.

Quatre français sur cinq ont une assurance maladie complémentaire.

72 % des personnes couvertes s'assurent auprès d'assurances mutuelles, 18 % auprès d'assurances privées et 10 % auprès des caisses de prévoyance.

Dans chaque ville de France vous trouverez une liste de médecins et de pharmaciens de garde 24 h sur 24 h.

En cas d'urgence vous pouvez appeler le numéro de téléphone 15.

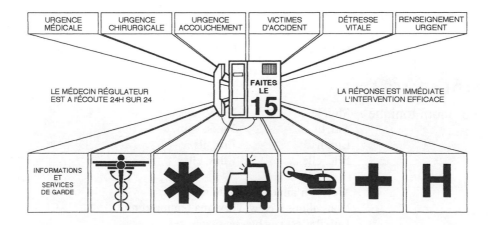

AU BOULOT !

JE SUIS DÉSOLÉE ! IL EST ABSENT

Gérard Leclerc prospecte la clientèle potentielle.

La standardiste	Allô ! Société Legrand.
Gérard	Bonjour. Pourrais-je parler au chef des achats, s'il vous plaît ?
La standardiste	De la part de qui ?
Gérard	De Gérard Leclerc, de la société ITEX.
La standardiste	Je suis désolée. Le chef des achats est absent.
Gérard	Quand est-ce que je pourrai le joindre ?
La standardiste	Pas avant demain matin, malheureusement.
Gérard	Bon, je rappellerai demain. Merci.
La standardiste	Au revoir, monsieur.

▶ **PHRASES CLÉS**

Pourrais-je parler au chef des achats/chef des ventes ?
De la part de qui ?
De Gérard Leclerc, de la société ITEX.
Quand est-ce que je pourrai le joindre ?
Je rappellerai demain matin/la semaine prochaine/cet après-midi.

VOCABULAIRE

le chef des achats (n.)
la clientèle (n.)
le matin (n.)
absent, e (adj.)
potentiel, le (adj.)
rappeler (v.)
joindre (v.)
prospecter (v.)
malheureusement (adv.)

Exercice 1

Qu'est-ce qu'il a dit ?

Complétez les phrases suivantes sans regarder le premier dialogue.

1. Pourrais-je .... au chef des achats ?
2. De la part de .... ?
3. Le chef des achats est ....
4. Quand est-ce que je pourrai le ....
5. Pas avant .... matin.
6. Bon. Je .... demain.

JE SUIS DÉSOLÉE ! IL EST EN RÉUNION

Gérard contacte une autre société.

La standardiste	Bazin et compagnie, bonjour.
Gérard	Bonjour. Pourrais-je parler au chef des achats, s'il vous plaît ? À propos, comment s'appelle-t-il ?
La standardiste	Jean-Michel Boireau. C'est de la part de qui ?
Gérard	Gérard Leclerc, directeur de la société ITEX.
La standardiste	Je suis désolé. Monsieur Boireau est en réunion.
Gérard	Pourrais-je parler à son adjoint, alors ?
La standardiste	Malheureusement, pas avant cet après-midi. Il est en stage, aujourd'hui.
Gérard	Bon. Je rappellerai plus tard. Merci, madame. Au revoir.
La standardiste	Au revoir.

VOCABULAIRE

un adjoint (n.)
une réunion (n.)
un stage (n.)
contacter (v.)
à propos (loc.)

Exercice 2

Pas avant demain

Christian Mérat de la société Capuro et Compagnie voudrait parler au chef de production de la société Michaud. Complétez le dialogue suivant.

La réceptionniste	Société Michaud, bonjour.
M. Mérat	....
La réceptionniste	De la part de qui ?
M. Mérat	....
La réceptionniste	Je suis désolée. Il est en réunion maintenant.
M. Mérat	....
La réceptionniste	Pas avant demain matin.
M. Mérat	....

Écrivez le dialogue et compare- le au vôtre.

À vous de jouer !

Mettez-vous par groupe de deux. Chacun joue un rôle. Le joueur A1 avec le joueur A2 et le joueur B1 avec le joueur B2.

Joueur A1	Joueur A2
Beautech	Parler M. Laforge
Pas là, en stage	Quand ?
Demain, après 14h	D'accord. Rappeler plus tard

Joueur B1	Joueur B2
Varex et fils	Parler M. Benoît
En déplacement	Quand ?
Jeudi, semaine prochaine	Rappeler, vendredi matin
Vendredi matin, réunion	D'accord. Après-midi
Après-midi ?	

COMMENT VONT LES AFFAIRES ?

Gérard Leclerc téléphone à un client qu'il connaît bien.

Gérard	Salut, Jean-Pierre. Ça va ?
Jean-Pierre	Ça va très bien. Et toi ?
Gérard	Très bien. Tu as passé un bon week-end ?
Jean-Pierre	Super !
Gérard	Comment vont les affaires ? Tu as reçu notre nouveau catalogue ?
Jean-Pierre	Oui, oui, je l'ai bien reçu.
Gérard	Alors, qu'est-ce que tu vas commander ? Je te propose notre dernier modèle… (…) Bon, à bientôt et bonne journée.

▶ PHRASES CLÉS

Salut !
Ça va.
Ça va (très) bien.
Et vous/et toi?
Tu as passé un bon week-end/de bonnes vacances.
Comment vont les affaires ?
Je te propose...
À bientôt.
Bonne journée/soirée.

VOCABULAIRE

les affaires (n.)
à bientôt (loc.)
alors (adv.)

À vous de jouer !

Vous voulez passer une commande de pièces détachées à un fournisseur que vous connaissez bien, mais vous n'avez pas reçu le catalogue. Vous lui téléphonez.

Le joueur A : le client

Le joueur B : le fournisseur

Exercice 5

Une brochure de présentation

Gérard Leclerc rédige une brochure pour présenter son usine à la clientèle.

1. Aidez-le à trouver les bonnes expressions. Faites correspondre les verbes avec les termes convenables.

s'appeler •	• des remises avantageuses
implanter •	• du personnel qualifié
fabriquer •	• ITEX
vendre •	• les intérêts des clients
employer •	• une livraison rapide
garantir •	• en gros
accorder •	• une nouvelle usine
servir •	• des pièces détachées

2. Rédigez l'introduction de la brochure présentant l'entreprise ITEX (nom, localisation, activité...)

VOCABULAIRE

un intérêt (n.)
une livraison (n.)
une remise (n.)
qualifié, e (adj.)
accorder (v.)
employer (v.)
fabriquer (v.)
vendre (v.)
en gros (loc.)

Exercice 6

Allô ! ITEX, bonjour

Écoutez les messages téléphoniques sur le répondeur de Gérard Leclerc et complétez le tableau ci-contre.

	Nom de l'entreprise	Numéro de téléphone	Activité de l'entreprise	Nom de la personne à contacter
1				
2				
3				

Exercice 7

À vous de jouer !

À chaque appel téléphonique, la secrétaire de Gérard complète une fiche client.

Mettez-vous par groupe de deux. Chacun joue un rôle. Le joueur A pose des questions au joueur B pour compléter la fiche client.

Joueur A	**Joueur B**
Nom de l'entreprise	Société Darly
Adresse	36, avenue de la République
Numéro de téléphone	35000 Rennes
Numéro de télécopie	99 78 09 65
Nom de la personne	99 00 97 79
à contacter	Charles Favet
Remise actuelle	5 %

PRONONCIATION

Écoutez les phrases suivantes et répétez.

1. Je te présente ma fille.
2. On ne travaille pas en juillet.
3. Ça coûte mille francs.
4. Je vous rappelle.

GRAMMAIRE

Le conditionnel présent
Prendre

Je prendrais	Nous prendrions
Tu prendrais	Vous prendriez
Il/elle prendrait	Ils/elles prendraient

Le futur et le conditionnel
présent

	le futur	*le conditionnel présent*
voir	Je verrai	Je verrais
savoir	Je saurai	Je saurais
pouvoir	Je pourrai	Je pourrais

La formation du conditionnel présent : radical du futur + terminaisons de l'imparfait (-ais, -ais, -ait, -ions, -iez, -aient)

À une seule condition !

Demandez à un collègue les choses suivantes.
Utilisez le conditionnel présent.

1. Vous (*pouvoir*) travailler demain ?
2. Vous (*aller*) voir ce client à ma place ?
3. Vous (*connaître*) le numéro de téléphone de l'entreprise Michaud ?
4. Vous (*avoir*) l'heure ?
5. Vous (*voir*) qui au poste de secrétaire de direction ?
6. Vous (*aimer*) voyager aux États-Unis ?

L'adjectif possessif

	singulier		*pluriel*
	masculin	*féminin*	*masculin et féminin*
	mon	ma	mes
un seul	ton	ta	tes
possesseur	son	sa	ses

Devant un nom féminin commençant par une voyelle ou *h* muet :
ma, ta, sa ➜ mon, ton, son
mon entreprise, ton usine, son adresse

	singulier	*pluriel*
	masculin et féminin	*masculin et féminin*
	notre	nos
plusieurs	votre	vos
possesseurs	leur	leurs

Votre attention, s'il vous plaît !

Écoutez les phrases suivantes et répétez.
1. Paul, voilà ta lettre !
2. Anne attend son fils, mais il n'est pas encore arrivé.
3. Voici vos papiers.
4. Leur bureau se trouve au troisième étage.

CULTURELLE

LES FORMES JURIDIQUES DE L'ENTREPRISE FRANÇAISE

	Société en nom collectif (SNC)	Sociéte à responsabilité limitée (SARL)	Société anonyme (SA)
Nombre d'associés et responsablité	2 minimum responsables indéfiniment et solidairement	2 minimum (1 pour l'EURL*) 50 maximum responsables dans la limite de leurs apports	7 minimum responsables dans la limite de leurs apports
Capital	• divisé en parts sociales non cessibles librement • pas de minimum	• divisé en parts sociales non cessibles librement • 50 000 FF minimum	• divisé en actions cessibles librement • 250 000 FF ou 1 500 000 (appel public à l'épargne)
Organes de direction	Tous les associés sont gérants	Un ou plusieurs gérants	PDG + un conseil d'administration ou directoire + un conseil de surveillance

*E U R L : entreprise unipersonnelle à responsabilité limitée

Activités NAP 100	Nombre d'entreprises	Effectif	CAHT Millions F	Part des 4 premières entreprises	
				% CAHT	% effectifs
04. Prod. combustibles min. solides , cokéfaction ...	20	26 862	10 218	97,5	99,5
05. Production de pétrole et de gaz naturel	139	35 335	212 779	65,8	64,6
06. Production et distribution d'électricité	798	127 694	160 011	96,1	97,4
07. Distribution de gaz	113	29 455	40 454	99,3	99,0
08. Distribution d'eau et chauffage urbain	264	34 576	35 074	52,0	52,5
09. Extraction et préparation de minerai de fer	11	1 321	625	99,7	99,9
10. Sidérurgie	61	54 379	80 016	69,8	64,8
11. Première transformation de l'acier	306	32 040	34 242	33,9	32,9
12. Extract. et prépar. de minerais non ferreux	26	1 254	941	89,0	90,7
13. Métallurgie, 1re transf. des mét. non ferreux	329	46 427	97 364	49,9	43,9
14. Production de minéraux divers	277	11 515	8 292	50,9	62,0
15. Prod. de matér. de constr. et de céramique	7 616	129 785	102 877	12,1	6,7
16. Industrie du verre	1 148	54 441	36 942	36,9	32,3
17. Industrie chimique de base	1 153	111 769	206 057	31,6	32,2
18. Parachimie...............................	1 780	117 759	139 232	15,6	17,1
19. Industrie pharmaceutique	561	76 274	101 277	11,3	9,7
20. Fonderie	630	46 490	25 614	27,2	19,3
21. Travail des métaux	22 752	342 767	191 616	4,0	3,2
22. Fabrication de machines agricoles	3 847	29 232	24 455	25,7	14,6
23. Fabrication de machines-outils	1 594	41 654	26 441	13,8	9,3
24. Production d'équipement industriel	8 542	221 372	162 685	13,6	5,8
25. Fabrication de mat. de manutention	1 295	55 102	48 613	28,3	19,6
26. Industrie de l'armement	22	4 314	3 471	90,2	85,8
27. Fabrication de matériel informatique	675	58 840	78 661	84,8	77,1
28. Fabrication de matériel électrique............	3 862	190 841	132 856	26,9	23,1
29. Fabr. mat. électron. ménager, professionnel	4 982	235 834	183 468	26,5	21,1
30. Fabrication d'équipement ménager	370	43 195	28 553	37,0	39,9
31. Constr. automobiles, mat. transport terrestre ...	2 291	369 959	439 164	59,7	46,4
32. Construction navale	739	16 756	11 632	55,9	43,5
33. Construction aéronautique	297	107 931	139 227	65,1	59,5
34. Fabr. d'instruments, matériels de précision	6 762	76 217	42 886	18,6	15,0
35. Industrie de la viande	3 485	105 148	149 656	7,9	6,8
36. Industrie laitière	1 189	76 003	159 766	15,3	16,6
37. Fabrication de conserves	1 271	46 677	44 170	20,9	18,8
38. Boulangerie, pâtisserie....................	40 160	135 284	53 260	3,2	2,6
39. Travail du grain	2 489	58 652	103 505	13,8	14,1
40. Fabrication de produits alim. divers	2 128	64 385	92 925	23,0	19,7
41. Fabrication de boissons et alcools	2 542	48 153	74 207	19,5	22,9
42. Transformation du tabac	5	6 611	31 420	100,0	100,0
43. Fils et fibres artificiels et synthétiques	20	5 205	4 696	92,8	92,7
44. Industrie textile	5 862	197 726	119 332	7,3	8,3
45. Industrie du cuir	2 551	28 897	16 170	19,7	12,9
46. Industrie de la chaussure	938	46 385	20 704	30,8	19,3
47. Industrie de l'habillement..................	13 958	154 544	73 014	4,3	3,1
48. Travail mécanique du bois	8 406	87 700	51 940	8,7	5,0
49. Industrie de l'ameublement	17 773	84 737	43 245	5,9	5,4
50. Industrie du papier et du carton	1 629	105 701	102 299	14,1	10,0
51. Imprimerie, presse, édition	17 806	218 423	172 344	6,7	4,4
52. Industrie du caoutchouc	749	87 694	47 761	51,6	53,8
53. Transformation des matières plastiques	3 818	123 831	91 285	7,9	7,3
54. Industries diverses	10 173	84 054	49 990	8,3	6,6

* Champ : ensemble des entreprises soumises aux bénéfices industriels et commerciaux (BIC).

INSEE TEF. 93 / 94

UNE EMBAUCHE

POURQUOI TRAVAILLER AVEC NOUS ?

Claire Trévisi reçoit Fabienne Maréchal, une candidate à un emploi d'assistante commerciale.

Claire	Pourquoi voulez-vous travailler pour nous ?
Fabienne	J'ai actuellement un emploi de secrétaire sténodactylo. Je fais plutôt un travail de sténo. J'ai une formation de secrétaire. Je suis des cours d'allemand, le soir, depuis six mois. Comme j'ai un peu d'expérience, je voudrais faire quelque chose de plus intéressant, prendre plus de responsabilités.
Claire	Connaissez-vous notre entreprise ?
Fabienne	Oui, j'ai obtenu des renseignements sur vos activités.
Claire	Vous savez que notre maison mère est à Strasbourg. Verrez-vous un inconvénient à partir en déplacement de temps en temps ?
Fabienne	Non, pas du tout. J'aimerais voyager.

VOCABULAIRE

une embauche (n.)
l'expérience (n. f.)
une formation (n.)
un inconvénient (n.)
la responsabilité (n.)
la sténodactylo (n.)
la sténo (n.)
le travail (n.)
commercial, e (adj.)
obtenir (v.)
voyager (v.)
de temps en temps (loc.)
actuellement (adv.)
pas du tout (loc.)
plutôt (adv.)
pourquoi (adv.)

PHRASES CLÉS

Pourquoi voulez-vous travailler avec nous ?
Je fais un travail de…
J'ai une formation de...
Je voudrais faire quelque chose de plus intéressant.
Connaissez-vous notre entreprise ?
Verrez-vous un inconvénient à… ?

Une candidate à un emploi

Une candidate à un poste de comptable a un entretien avec un futur employeur.
Faites correspondre chaque question à la réponse qui convient.

Questions	Réponses
1. Pourquoi voulez-vous travailler avec nous ?	**a)** Non, mais j'ai mon permis de conduire.
2. Parlez-moi de votre expérience professionnelle ?	**b)** J'aimerais travailler dans une petite entreprise.
3. Connaissez-vous notre entreprise ?	**c)** J'aimerais un salaire de 10 000 F par mois.
4. Verriez-vous un inconvénient à partir en voyage ?	**d)** Je suis chef comptable dans une entreprise d'informatique.
5. Quel est votre poste actuel ?	**e)** J'ai une bonne expérience de la comptabilité.
6. Avez-vous une voiture ?	**f)** Oui, j'ai lu des articles dans les journaux. Elle vient de s'implanter en France.
7. Combien voulez-vous gagner ?	**g)** J'aime beaucoup lire et je fais du vélo tous les dimanches.
8. Quelles sont vos activités extra-professionnelles ?	**h)** Non, je suis très disponible et j'aime voir de nouveaux pays.

VOCABULAIRE

un employeur (n.)
un entretien (n.)
le journal (n.)
un poste (n.)
actuel, *le* (adj.)
disponible (adj.)
futur, *e* (adj.)
professionnel, *le* (adj.)
gagner (v.)

QUELLES LANGUES ÉTRANGERES PARLEZ-VOUS ?

Claire continue son entretien avec Fabienne.

Claire Quelles langues étrangères parlez-vous ?

Fabienne Je parle anglais, espagnol et un peu allemand.

Claire Vous savez que nous venons de nous implanter ici, à Angers. Il y a beaucoup de travail en ce moment. Seriez-vous disposée à faire des heures supplémentaires ?

Fabienne Aucun problème.

Claire Avez-vous des questions à me poser ?
(...)

VOCABULAIRE

une langue (n.)
le moment (n.)
un problème (n.)
une heure supplémentaire (n.)
aucun, *e* (adj.)
disposé, *e* (adj.)
supplémentaire (adj.)
poser (v.)

PHRASES CLÉS

Seriez-vous disposé à... ?
Aucun problème/Pas de problème.

Exercice 2

Un poste d'assistante commerciale

Fabienne a reçu de l'entreprise ITEX la description suivante du poste. Elle est incomplète. Complétez-la par les expressions convenables données ci-dessous.

• assistante commerciale • clients • commandes • commerciaux
• horaires • lieu de travail • salaire • stocks • congés payés

VOCABULAIRE

l'activité (n. f.)
le congé (n.)
les congés payés
un document (n.)
la fonction (n.)
la gestion (n.)
l'horaire (n. m.)
un lieu (n.)
le stock (n.)
la traduction (n.)

Fonction générale

Poste . ...

.... : Angers

Description de l'activité

Réception des ....

Facturation des ....

Gestion des .... à l'entrepôt

Traduction de documents ....

Conditions offertes

.... : 8 500 F par mois

.... : 39 heures par semaine ; 8 h 30 à 17 h 30 (16 h 30 le vendredi)

.... : 5 semaines par an

Exercice 3

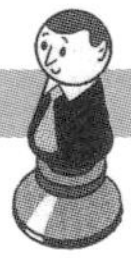

À vous de jouer !

1. Imaginez que vous êtes à la place de Fabienne. Que répondriez-vous à Claire ?
Mettez-vous par groupe de deux. Le joueur A pose des questions et le joueur B répond.

exemple :
Joueur A : Quelles langues parlez-vous?
Joueur B : Je parle espagnol et français.

À vous !

2. Fabienne pose des questions à Claire sur le travail. Que répondriez-vous à Fabienne ? (Aidez-vous de la fiche descriptive ci-dessus)

exemple :
Joueur A : Quels sont les horaires de travail ?
Joueur B : Le matin de huit heures et demie à midi et l'après-midi de treize heures trente à dix-sept heures trente.

À vous !

Le curriculum vitae

Voici le curriculum vitae de Fabienne.

Dix conseils pour rédiger un bon CV

À éviter

Un CV manuscrit

Une mauvaise présentation

Un CV trop long

Un CV sans lettre d'accompagnement

Les mensonges, les trous dans la chronologie

À faire

Un CV dactylographié

Une rédaction claire

Un CV court (2 pages maxi.)

Une lettre de motivation manuscrite

Une chronologie cohérente

Fabienne Maréchal
née le juin 1964
célibataire
39, rue du Marché
92190 Meudon

Formation

1983 : BAC STT
1985 : BTS Option secrétariat de direction

Langues lues, parlées et écrites

Anglais
Espagnol

Expérience professionnelle

Depuis le 28 septembre 1986 :
secrétaire sténodactylo
bilingue chez CDFG à Nanterre.

Juillet 1985 à août 1986 :
secrétaire dactylo chez Ballot,
boulevard Haussman, Paris.

Du 21 avril au 26 juin 1985 :
Stage de formation chez
Renault-Étoile, boulevard Péreire, Paris.

La lettre d'engagement

Fabienne a reçu la lettre d'engagement ci-dessous.

VOCABULAIRE

un accusé de réception (n.)
un agrément (n.)
un an (n.)
la condition (n.)
une copie (n.)
un contrat (n.)
un engagement (n.)
la fin (n.)
une lettre (n.)
une lettre recommandée
la possibilité (n.)
le terme (n.)
fixé, e (adj.)
mensuel, le (adj.)
exercer (v.)
prévenir (v.)
retourner (v.)
se conformer (v.)
à l'avance (loc.)
chacun, e (pr. indéf.)
ci-joint, e (loc.)
comme suite à (loc.)
sous réserve de (loc.)

Angers, le 22 janvier 199...

Madame,

Comme suite à notre entretien du 20 janvier, nous avons le plaisir de vous préciser les conditions de votre engagement, sous réserve de votre agrément, à compter du 1er mars.

Vous exercerez les fonctions d'assistante commerciale. Vous vous conformerez à l'horaire de travail de notre entreprise, à savoir : lundi à jeudi de 8 h 30 à 17 h 30 ; vendredi de 8 h 30 à 16 h 30.

Votre salaire mensuel sera fixé à 8 500 F. Vous bénéficierez des congés payés, soit 5 semaines par an.
Chacun aura la possibilité de mettre fin au contrat, à charge de prévenir l'autre de ses intentions par lettre recommandée avec accusé de réception au moins un mois à l'avance.

Nous vous prions de nous confirmer votre accord sur les termes de la présente lettre en nous retournant avant le 29 janvier la copie ci-jointe sur laquelle vous aurez indiqué la date et porté votre signature.

Veuillez agréer, Madame, nos sentiments distingués.

Claire Trévisi

Répondez aux questions suivantes.

1. Quand est-ce que Fabienne va commencer son nouveau travail ?

2. Quel sera son horaire de travail ?

3. Combien de vacances aura-t-elle ?

4. Si Fabienne ne veut plus travailler chez ITEX, qu'est-ce qu'elle doit faire ?

5. Qu'est-ce qu'elle doit faire maintenant pour accepter le poste ?

PRONONCIATION

Écoutez les mots suivants et répétez.

1. L'homme
2. Le haricot
3. La hache

GRAMMAIRE

Le pronom **En**

Tu veux encore **de la viande** ? Non, je n'**en** veux pas.
Tu veux **du vin** ? Non, je n'**en** veux pas.
Tu as **beaucoup d'amis** ? Oui, j'**en** ai beaucoup.

Exercez-vous !

En veux-tu, en voilà !

Répondez aux questions en utilisant le pronom en.

exemple : Vous voulez du café ? Oui, j'en veux.

1. Vous prenez de la viande ? Oui, ...

2. Vous avez assez de vin ? Oui, ...

3. Vous voyez des voitures ? Non ,..............

4. Vous avez beaucoup de collègues ? Oui, ...

5. Vous avez plusieurs enfants ? Oui, ...

6. Vous mangez des gâteaux ? Non, je ....

LE VERBE

Le passé avec **Venir**

venir de + infinitif

Je **viens de** voir ton collègue.
Il **vient de** rentrer chez ITEX
Elle **vient de** rappeler le client.

NOTE CULTURELLE

LES CONDITIONS DE TRAVAIL EN FRANCE

Le contrat de travail est un accord entre un employeur et un salarié. Il peut être écrit ou oral, à durée déterminée ou indéterminée.

L'employeur

fournit le travail
paye le salaire
respecte la législation sociale
et la convention collective

L'employé

exécute le travail
prend soin du matérel
respecte le règlement intérieur
et la convention collective

La durée légale du travail est de 39 heures par semaine. C'est le temps plein. L'employé peut travailler à temps partiel ou à mi-temps.

L'employé peut faire des heures supplémentaires au-delà de l'horaire légal.

Le salaire versé à l'employé ne peut être inférieur au SMIC (salaire minimum interprofessionnel de croissance). Il est accompagné d'un bulletin de paie. L'employeur déduit du salaire brut les cotisations sociales (retraite, maladie, chômage).

Le salaire peut être horaire, mensuel, aux pièces ou correspondre à un certain pourcentage des bénéfices.

Qui travaille le plus en Europe ?

PAYS	DURÉE HEBDOMADAIRE MOYENNE DU TRAVAIL D'UN OUVRIER (EN HEURES)	* LIMITE SUPÉRIEURE LÉGALE • RÉGLEMENTATIONS CONVENTIONNELLES POUR CERTAINS GROUPES DE SALARIES
France	39	* 39 h par semaine • 38, 50 h par semaine dans la métallurgie
Allemagne	37, 7	* 48 h par semaine • 36, 50 h par semaine dans la sidérurgie. • 37 h dans l'imprimerie et la métallurgie

Autriche	38, 6	* 40 h par semaine
		• 38, 50 h par semaine dans la sidérurgie ;
		  37 h dans les industries graphiques ;
		  36 h dans l'imprimerie

PAYS	DURÉE HEBDOMADAIRE MOYENNE DU TRAVAIL D'UN OUVRIER (EN HEURES)	* LIMITE SUPÉRIEURE LÉGALE • RÉGLEMENTATIONS CONVENTIONNELLES POUR CERTAINS GROUPES DE SALARIES
Belgique	38	* 40 h par semaine • 38 h par semaine ; parfois moins dans certains secteurs et entreprises
Danemark	37	* Pas de réglementation • La semaine de 37h est habituelle.
Espagne	40	* 40 h par semaine • 40 h par semaine
Grande-Bretagne	38, 8	* Pas de réglementation • 39 h par semaine, surtout dans la métallurgie pour la période 1990-1992, réduction à 37 h dans certaines entreprises
Grèce	40	* 48 h par semaine • 40 h par semaine pour toutes les entreprises
Irlande	39	* 48 h par semaine • Réduction de 40 h à 39 h par semaine entre 1989 et 1991
Italie	40	* 48 h par semaine • 40 h par semaine
Norvège	37, 5	* 40 h par semaine • 37, 50 h par semaine
Pays-Bas	39	* 48 h par semaine • 38 h par semaine dans la métallurgie, chez Philips ou dans le consortium chimique Akzo
Portugal	44	* 48 h par semaine • 44 h par semaine • 42/43 h par semaine grâce à de nombreux accords d'entreprise
Suède	40	* 40 h par semaine • 40 h par semaine
Suisse	40, 8	* 45 h par semaine • 40 h par semaine dans l'industrie mécanique et l'industrie horlogère • 41 h dans l'industrie chimique • 42 h dans l'industrie du vêtement • 42 h dans l'industrie de la chaussure
États-Unis	40	* Pas de réglementation • 40 h par semaine
Japon	42	* 46 h par semaine pour toutes les entreprises depuis avril 1991 • 40 h par semaine dans 50 % des grandes et moyennes entreprises

VOUS ALLEZ
APPRENDRE COMMENT...

▮ utiliser le français dans
des situations
professionnelles courantes
▮ pratiquer le français
avec plus d'aisance
▮ consolider vos
connaissances en français

EN SITUATION

PREMIÈRE SITUATION

DANS UNE AGENCE DE VOYAGES

Vous travaillez dans une agence de voyages. Vous vous occupez des clients suivants.

1. Une femme d'affaires voyageant seule à Paris a besoin de réserver une chambre dans un hôtel trés confortable, proche des Champs-Élysées.

2. Une entreprise organise une manifestation promotionnelle en Belgique. Elle a besoin de réserver trente chambres, une salle de conférence pour 250 personnes et une autre plus petite pour 50 personnes. Des facilités de stationnement sont indispensables. La société souhaite avoir des renseignements sur les services de restauration des hôtels que vous recommanderez.

VOCABULAIRE
une conférence (n.)
un équipement (n.)
une facilité (n.)
un intermédiaire (n.)
une manifestation (n.)
la restauration (n.)
une suggestion (n.)
un tour (n.)
francophone (adj.)
indispensable (adj.)
organisé, e (adj.)
proche (adj.)
promotionnel, le (adj.)
attendre (v.)
organiser (v.)
rechercher (v.)
recommander (v.)
souhaiter (v.)

3. Une famille souhaite passer des vacances dans un pays ou une région francophone autre que la France métropolitaine. Elle ne veut pas d'un tour organisé mais recherche un hôtel qui offre de nombreux équipements. Elle attend des suggestions et a besoin d'un maximum de renseignements sur le séjour que vous lui recommandez.

1. Étudiez les extraits de brochures des pages suivantes et préparez les propositions que vous ferez à chaque client. N'oubliez pas tous les détails donnés par chacun des clients pour répondre au mieux à leur demande et les inciter à effectuer leur réservation par l'intermédiaire de votre agence.

Pour vous aider, reportez-vous à l'unité 3.

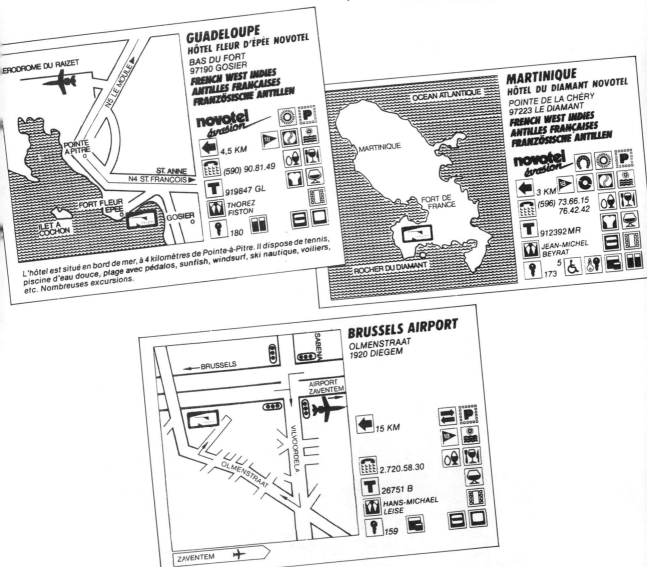

L'hôtel est situé en bord de mer, à 4 kilomètres de Pointe-à-Pitre. Il dispose de tennis, piscine d'eau douce, plage avec pédalos, sunfish, windsurf, ski nautique, voiliers, etc. Nombreuses excursions.

novotel

EN CENTRE VILLE

CHAMBRES AVEC LIT
DOUBLE

PETIT DEJEUNER BUFFET

PARKING EXTERIEUR
NON CLOS

PISCINE

TELEVISION (EQUIPEMENT
TOTAL)

DU CENTRE VILLE

CHAMBRES AVEC LITS
JUMEAUX

RESTAURANT GRILL

PARKING EXTERIEUR CLOS

PISCINE COUVERTE

TELEVISION (EQUIPEMENT
PARTIEL)

TELEPHONE

CHAMBRES AVEC LIT
DOUBLE ET CANAPE-LIT

-LA ROTISSERIE-

PARKING COUVERT
GRATUIT

TENNIS

VIDEO

TELEX

CHAMBRES POUR
HANDICAPE

RESTAURANT
TRADITIONNEL

PARKING COUVERT
PAYANT

EQUITATION

DIRECTEUR

SALLES DE REUNION

BAR

NAVETTE GRATUITE AVEC
L AEROPORT

GOLF(S) DANS UN RAYON
DE 25 KM MAX

NOMBRE DE CHAMBRES

SUITES

novotel évasion

NAVETTE PAYANTE AVEC
L AEROPORT

NIGHT-CLUB
DISCOTHEQUE

hotel ibis
hotel Urbis

Bienvenue chez Ibis

Avec plus de 250 hôtels et 200 restaurants en Europe, Ibis est le leader de l'hôtellerie-restauration. Les hôtels Ibis sont implantés en centre ville ou à proximité, le long des principaux axes routiers et près des aéroports dans des immeubles récents. Hôtellerie, rèstauration, location de salle de réunion: nous attachons une importance particulière à votre bien-être et mettons en œuvre tout notre professionnalisme pour vous garantir le meilleur service.

Bienvenue chez Urbis

Avec plus de 35 hôtels à votre disposition en Europe, Urbis vous offre un service impeccable et personnalisé.

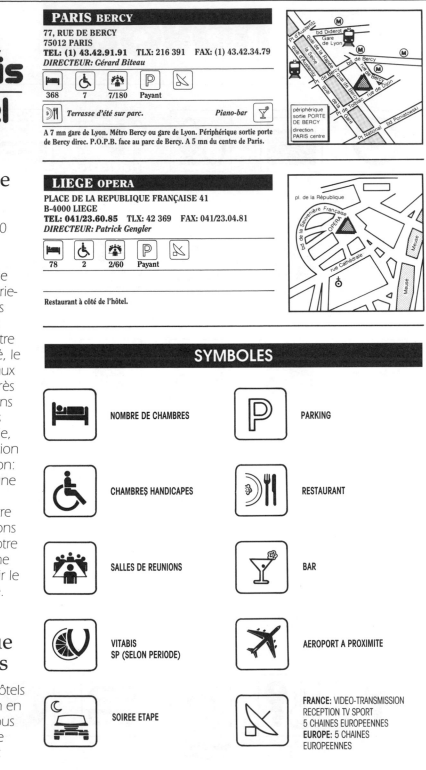

PARIS BERCY

77, RUE DE BERCY
75012 PARIS
TEL: (1) 43.42.91.91   TLX: 216 391   FAX: (1) 43.42.34.79
DIRECTEUR: Gérard Biteau

| 368 | 7 | 7/180 | Payant | |

Terrasse d'été sur parc.   Piano-bar

A 7 mn gare de Lyon. Métro Bercy ou gare de Lyon. Périphérique sortie porte de Bercy direc. P.O.P.B. face au parc de Bercy. A 5 mn du centre de Paris.

LIEGE OPERA

PLACE DE LA REPUBLIQUE FRANÇAISE 41
B-4000 LIEGE
TEL: 041/23.60.85   TLX: 42 369   FAX: 041/23.04.81
DIRECTEUR: Patrick Gengler

| 78 | 2 | 2/60 | Payant | |

Restaurant à côté de l'hôtel.

SYMBOLES

NOMBRE DE CHAMBRES	PARKING
CHAMBRES HANDICAPES	RESTAURANT
SALLES DE REUNIONS	BAR
VITABIS SP (SELON PERIODE)	AEROPORT A PROXIMITE
SOIREE ETAPE	**FRANCE:** VIDEO-TRANSMISSION RECEPTION TV SPORT 5 CHAINES EUROPEENNES **EUROPE:** 5 CHAINES EUROPEENNES

LES CARACTÉRISTIQUES DES HÔTELS SOFITEL

Que vous soyez sportif, flâneur ou touriste, les hôtels Sofitel vous proposent, selon les cas :
● de profiter de la piscine, du sauna, des tennis et des diverses possibilités de loisirs à l'hôtel ou à proximité (golf, équitation, sports nautiques, sports d'hiver...) ;
● de passer la soirée à la discothèque ou au casino, ou simplement de vous détendre en prenant un verre au bar.

Quelques Sofitel sont situés dans de hauts lieux touristiques : Val d'Isère, Marrakech, la Polynésie ou l'Afrique de l'Ouest. Porticcio et Quiberon offrent en outre la possibilité de faire une cure de détente et de thalassothérapie.

Location de voitures

Liaison gratuite avec l'aéroport

Sauna

Boutiques

Piscine

Gymnase

Agence de voyage

Tennis

Chambre pour handicapé

Garage payant

Golf

Parking gratuit

Planche à voile

FRANCE

PARIS

Hotel Sofitel Bourbon
32, rue Saint-Dominique
75007 Paris
Tél. : (1) 555.91.80
Oct. 85 : 4.555.91.80
Télex : 250 019

Directeur : M.-A. Potier

Au calme en plein Paris, à 100 m des Invalides et 200 m des quais de la Seine, tout près de la Place de la Concorde. Ambiance raffinée.

112 CHAMBRES
(dont 4 appartements), entièrement redécorées. Salle de bains (6 chambres avec douche), radio, TV couleurs, téléphone, mini bar.

BELGIQUE

BRUXELLES

Hotel Sofitel Brussels Airport

Bessenvëldstraat 15
B-1920 Diegem - Belgium
Tél. (32) (2) 720.60.50
Télex : 26 595

Directeur : B. Hummel

*Près de l'aéroport international.
Navette gratuite.*

125 CHAMBRES
dont 5 suites.
Salle de bains, radio, TV couleurs,
(15 programmes + films hôtel),
téléphone direct,
mini-bar.

RESTAURANTS ET BAR
"Diedeghem" : grande carte et
spécialités.
"Green Corner" : repas rapides et
soignés, ouvert du matin au soir.
"Golden Bar" : bar d'ambiance
avec terrasse-piscine.

10 SALONS RÉUNIONS ET RÉCEPTIONS
de 4 à 700 personnes.
Équipememt complet pour
conférences, congrès...
Traduction simultanée.

HÔTEL CLIMATISÉ ET INSONORISÉ

LOISIRS
Piscine chauffée intérieure/
extérieure, solarium, sauna, jardin
intérieur.

MAROC

MARRAKECH

Hotel Sofitel Marrakech

Avenue du Président Kennedy
Marrakech - Maroc
Tél. (212) (4) 346.26
Télex : 72 026 et 72 059

Directeur : J.-P. Claude

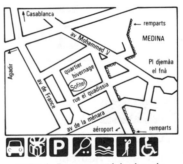

*A proximité de la Koutoubia, à
2,5 km de la Place Djemaa-el-Fna,
au cœur d'un parc privé de 3,5 ha
aux arbres centenaires, hôtel 5 étoiles.*

293 CHAMBRES
dont 8 suites et 3 chambres pour
handicapés, 75 chambres avec loggia.
Salle de bains, radio, TV vidéo,
téléphone, mini-bar.

RESTAURANTS ET BARS
"Laddah" : restaurant grande carte.
"Chahoua" : repas simples et rapides.
"El Boustane" : grill buffet autour
de la piscine.

"N'Zaha" : tente caïdale dans le
jardin, restaurant marocain
(ouverture en saison).
"Le Sania" : bar d'ambiance.
"Le Derbouka" : club discothèque.

7 SALONS RÉUNIONS
ET RÉCEPTIONS de 50 à 750 m^2.

HÔTEL CLIMATISÉ

LOISIRS : 2 piscines (1 pour les
enfants). Hammam. Salles de jeux
et de gymnastique. 2 tennis en
terre battue, éclairés. Possibilité de
golf 18 trous (9 km), équitation à
proximité. Boutiques.

2. Vous envoyez de la documentation à vos clients avec une lettre d'accompagnement. Vous êtes chargé(e) de rédiger une lettre modèle.

Les paragraphes de la lettre suivante ont été mis dans le désordre. À vous de les remettre dans le bon ordre.

1. Vous en souhaitant bonne réception, nous restons à votre disposition pour vous fournir toute information complémentaire qui vous serait nécessaire.

2. Nous avons bien reçu votre lettre du ...... et vous en remercions.

3. Nous vous prions d'agréer, Monsieur/Madame/Messieurs, l'expression de nos meilleurs sentiments.

4. Nous vous adressons, sous ce pli, la documentation que vous nous avez demandée.

DEUXIÈME SITUATION
AU STANDARD

Voici l'organigramme de la société dans laquelle vous travaillez comme standardiste.

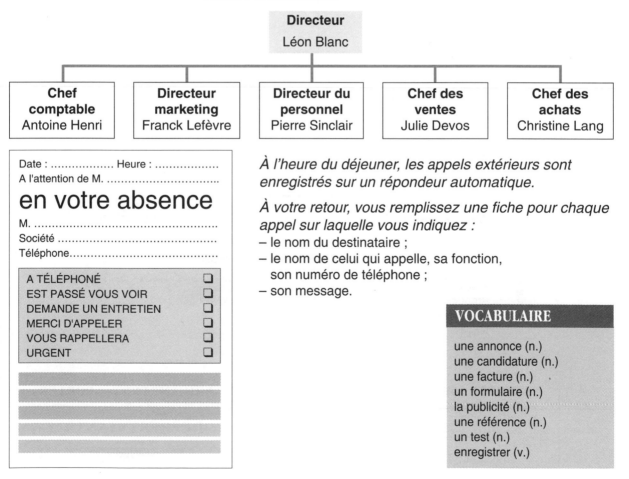

| **Directeur** |
| Léon Blanc |

Chef comptable	**Directeur marketing**	**Directeur du personnel**	**Chef des ventes**	**Chef des achats**
Antoine Henri	Franck Lefèvre	Pierre Sinclair	Julie Devos	Christine Lang

Date : .... Heure : ....
A l'attention de M. ....

en votre absence

M. ....
Société ....
Téléphone...

A TÉLÉPHONÉ	❏
EST PASSÉ VOUS VOIR	❏
DEMANDE UN ENTRETIEN	❏
MERCI D'APPELER	❏
VOUS RAPPELLERA	❏
URGENT	❏

À l'heure du déjeuner, les appels extérieurs sont enregistrés sur un répondeur automatique.

À votre retour, vous remplissez une fiche pour chaque appel sur laquelle vous indiquez :
– le nom du destinataire ;
– le nom de celui qui appelle, sa fonction, son numéro de téléphone ;
– son message.

VOCABULAIRE

une annonce (n.)
une candidature (n.)
une facture (n.)
un formulaire (n.)
la publicité (n.)
une référence (n.)
un test (n.)
enregistrer (v.)

TROISIÈME SITUATION
À LA RECHERCHE D'UN EMPLOI

1. Vous cherchez un emploi et vous lisez les petites annonces suivantes. Avant de répondre, vous analysez les offres d'emploi en complétant le tableau.

	annonce 1	annonce 2	annonce 3	annonce 4	annonce 5	annonce 6
Informations sur l'entreprise – nom – activité						
Informations sur le poste – profession recherchée – activités liées au poste						
Profil du candidat – formation – expérience – qualités						
Modalités d'entrée en contact						

1

Oscar de la Renta
PARFUMS
PARIS

V
valentino
PARFUMS
ROME PARIS NEW YORK

Les PARFUMS STERN recherchent un

RESPONSABLE EXPORT
(aéroports, compagnies aériennes et maritimes...)

Les candidats devront justifier d'une expérience réussie d'au moins trois années dans la négociation, parler anglais et une deuxième langue, et être disponibles pour de fréquents déplacements à l'étranger.

Merci d'adresser votre dossier de candidature, en précisant la référence 160 Ex à
KEY MEN
10 rue de Rome – 75008 PARIS

MEMBRE DE SYNTEC

SOURCES2

2

SOCIÉTÉ MÉTALLURGIQUE
recherche
CHEF COMPTABLE (H ou F)

Il/elle sera responsable de l'élaboration des budgets, du contrôle de gestion, de la comptabilité reporting et des déclarations sociales et fiscales. Ce poste conviendra à un jeune candidat diplômé ayant au minimum trois ans d'expérience.

Adresser lettre manuscrite, CV + photos sous réf. 42 à
MB DEVELOPPEMENT, BP 1, 69647 Caluire Cedex.

3

FABRICANT PRÊT-A-PORTER
Spécialisé été tee-shirt, polos, robes etc. 100% coton et hiver pulls acrylique/laine. Recherche

REPRÉSENTANTS
toutes régions

Envoyer C.V. + références sous réf. 11/846 à: L'EXPRESS 61, avenue Hoche 75380 Paris Cedex 08

4

LES FEMMES ET LA FINANCE

Ce n'est pas encore très courant. Pourtant, notre clientèle leur fait autant confiance qu'aux hommes. Elles ont, chez nous, les mêmes chances qu'eux.

Joindre notre société séduira une personne d'expérience qui regarde au-delà de l'immédiat. Pendant 2 ans, il s'agira d'acquérir la maîtrise d'un nouveau métier par la formation que nous dispensons, de créer une clientèle.

Ecrire à

Matignon Conseil

57, rue de Richelieu – 75002 PARIS

HAVAS CONTACT

5

TEAM 5
SPORT

ACHETEUR MATÉRIEL

Ses objectifs sont:
- négocier avec les fournisseurs;
- sélectionner les produits;
- assurer le suivi administratif.

Nous recherchons un candidat ayant une parfaite maîtrise de la négociation et étant fortement motivé par nos produits.

Candidature à adresser avec C.V. + photo à:
***TEAM 5,** 2–4, avenue de la Cerisaie, platane 304*
94266 FRESNES Cedex.

6

IMPORTANT GROUPE INDUSTRIEL
recherche
INGENIEUR COMMERCIAL

Charge:
- d'élaborer des solutions adaptées aux besoins des clients
- de mener les négociations à haut niveau concernant **les systèmes téléphoniques.** Aura la responsabilité d'une équipe de vente.

Adresser CV, rémunération souhaitée et photo sous réf. 19982 à CONTESSE PUBLICITE
20, avenue de l' Opéra 75040 Paris Cedex

2. Choisissez une des offres d'emploi et rédigez une lettre de candidature en vous aidant des paragraphes ci-dessous.

Monsieur le Directeur, *(pour une petite entreprise)* Monsieur le Chef du personnel, (*s'il s'agit d'une grande entreprise*) Monsieur le Directeur des relations humaines, (*s'il s'agit d'une grande entreprise*)

Comme suite à En réponse à Je me réfère à	votre annonce parue dans *l'Express* du (*date*)

Je me permets de poser ma candidature à l'/au Je pose ma candidature pour l'/le Je suis candidat(e) à l'/au	emploi de .... poste de ....

Titulaire du (diplôme) ...., je maîtrise bien le/la (*activité liée au poste*) .... J'ai été employé(e) dans l'entreprise .... pendant .... ans J'ai acquis une expérience approfondie en	
Compte tenu de l'expérience que j'ai acquise en ....,	je pense correspondre au profil que vous recherchez. je pense être capable de m'intégrer très rapidement dans votre entreprise.

Veuillez trouver ci-joint	mon curriculum vitae.	
	des certificats	} concernant mes emplois précédents.
	des références	

Mon curriculum ci-joint vous fournira les renseignements essentiels me concernant.

Je vous remercie par avance de l'attention que vous voudrez bien accorder à ma candidature.
Dans l'espoir que vous réserverez un accueil favorable à ma candidature

Je vous prie d'agréer, Veuillez agréer,	Monsieur le Directeur Monsieur le Chef du personnel Monsieur le Directeur des ressources humaines,	l'expression de mes sentiments distingués respectueux dévoués

3. Rédigez un curriculum vitae correspondant à l'annonce que vous avez choisie.

4. Quelques jours plus tard vous recevez la lettre suivante en réponse à votre lettre de candidature. Lisez-la.

5. En préparant l'entretien, vous vous attendez aux questions suivantes. Préparez vos réponses.

Que faites-vous actuellement ?
Quel aspect de votre travail vous plaît le plus ?
Quels sont vos buts dans la vie ?

Paris, le 4 juin 199...

Madame, (Monsieur)

Nous avons bien reçu votre lettre pour un poste de...

Nous avons le plaisir de vous annoncer que votre curriculum vitae a attiré toute notre attention.

Toutefois, un entretien approfondi en nos bureaux serait souhaitable et ce si possible, avant le 30 juin.

Nous vous saurions donc gré de nous contacter afin de convenir d'un rendez-vous.

Dans l'attente du plaisir de vous recevoir, veuillez agréer, Monsieur/Madame, l'expression de nos sentiments distingués.

M. Lasalle

VOCABULAIRE

l'attention (n.f.)
approfondi, *e* (adj.)
souhaitable (adj.)
annoncer (v.)
attirer (v.)
convenir (v.)
savoir gré (v.)
toutefois (adv.)

6. Préparez les questions que vous poserez lors de l'entretien sur les points suivants.

- date d'embauche
- lieu de travail
- horaires de travail
- possibilités de formation

- avantages
- responsabilités
- salaire
- déplacements

QUATRIÈME SITUATION
UN ACCIDENT DE TRAVAIL

Vous travaillez dans une entreprise au service du personnel. Un ouvrier a eu un accident léger et vous êtes chargé de faire un rapport. Vous interrogez les témoins et l'ouvrier blessé. Écoutez l'entretien et complétez le questionnaire ci-dessous.

- Nom du blessé :
- Date de l'accident :
- Nature de la blessure :
- Circonstances de l'accident :
- Dispositions prises lors de l'accident :
- Noms des témoins :

Pour vous aider, reportez-vous à l'unité 12.

VOCABULAIRE

une ambulance (n.)
un bruit (n.)
les urgences (n. f. p.)
emmener (v.)
entendre (v.)
laisser tomber (v.)
se blesser (v.)

CINQUIÈME SITUATION
UNE CAMPAGNE DE VENTE

Vous êtes employé(e) au service de la vente par téléphone dans une entreprise de distribution de logiciels implantée dans votre pays.

La société commence à exporter des produits en France et envisage un voyage d'affaires pour rendre visite aux clients potentiels français.

Voici les cartes de visite de clients que vous devez prospecter.

SUPERMICRO

89 *bis,* rue Lamartine
75003 Paris
tél : 42. 46. 96. 62

INFOTECHNO
Boîte postale 3
75012 Paris

tél : 42. 85. 24. 21

1. Au téléphone
Vous téléphonez à un des clients.
Mettez-vous par groupe de deux.

Joueur A

vous voulez parler au directeur des achats.

vous voulez connaître son nom.

vous voulez le rencontrer.

vous arrivez à Paris le 3 ou le 4 mai.

Joueur B : la secrétaire

Le directeur des achats est en déplacement à l'étranger à cette période. Vous fixez un rendez-vous à son retour.

Vous confirmez votre visite par télécopie. Rédigez le message.

2. À la réception
Une semaine plus tard, vous vous présentez à la réception de la société. Mettez-vous par groupe de deux.

Joueur A

vous vous présentez.

vous avez un rendez-vous.

Joueur B : le réceptionniste

SIXIÈME SITUATION
UN BILLET À TARIF RÉDUIT

Vous devez rendre visite à un ami à Nantes. Vous prenez le TGV. Mettez-vous par groupe de deux.

Joueur A

Vous voulez connaître les horaires.

Vous voulez connaître les possibilités de tarifs réduits.

Vous voulez un billet et sa réservation.

Joueur B : l'employé

Imaginez les réponses en vous aidant des documents ci-dessous.

Les Prix

DES PRIX POUR TOUS

Les prix des billets indiqués dans cette brochure sont ceux applicables à un voyageur adulte empruntant un train direct.
Ils comprennent le montant de la réservation TGV et la surtaxe locale éventuelle de chacune des gares de départ et d'arrivée, lorsque des investissements ont été réalisés dans ces gares.
PN indique le prix normal correspondant au niveau du TGV emprunté en 1ère ou 2ème classe.
PR indique le prix réduit correspondant à une réduction de "50%".

certains prix réduits sont consentis sous réserve de l'application du calendrier voyageurs.

JOKER

Prix Joker : jusqu'à 50% de réduction

Aujourd'hui, Joker vous permet de voyager en 2ème classe à prix réduits. Les prix Joker vous sont proposés, pour la majorité des destinations de ce guide sur les TGV de niveau 1 et 2, au départ de Paris et de la Province. Pour bénéficier des prix Joker, il suffit d'acheter votre billet à l'avance. Deux niveaux de prix sont proposés suivant la date d'achat du billet (de 60 à 30 jours et de 29 à 8 jours avant le départ). Le prix comprend votre billet aller-simple en 2ème classe et votre réservation en place assise.

Les places Joker ne sont pas échangeables. Si vous modifiez ou annulez votre voyage, elles sont remboursables jusqu'à 4 jours avant la date de votre départ. La SNCF retient alors 30% du montant de votre billet (avec un minimum de 50 F).

Pour tous renseignements complémentaires sur les destinations et les prix Joker, une brochure est à votre disposition dans les gares.

Prix Joker

Relations au départ ou à destination de Paris	achat avant le départ	
	de 60 à 30 jours	de 29 à 8 jours
Agen	180 F	250 F
Ancenis	145 F	180 F
Angers	135 F	165 F
Angoulème	155 F	205 F
Auray	155 F	205 F
Bayonne	185 F	260 F
Biarritz	185 F	260 F
Bordeaux	155 F	205 F
Brest	170 F	225 F
Chatellerault	130 F	160 F
Dax	185 F	260 F
Guingamp	170 F	215 F
Hendaye	185 F	260 F
La Baule	155 F	205 F
La Rochelle	155 F	205 F
Lamballe	170 F	215 F
Laval	135 F	165 F
Le Croisic	155 F	205 F
Le Mans	105 F	130 F
Libourne	155 F	205 F
Lorient	155 F	205 F
Lourdes	195 F	275 F
Montauban	195 F	275 F
Morlaix	170 F	225 F
Nantes	150 F	185 F
Niort	150 F	180 F
Orthez	195 F	275 F
Pau	195 F	275 F
Poitiers	135 F	165 F
Quimper	170 F	225 F
Redon	155 F	205 F
Rennes	150 F	185 F
Sablé	135 F	165 F
Savenay	155 F	205 F
St Brieuc	170 F	215 F
St Jean-De-Luz	185 F	260 F
St Maixent	150 F	170 F
St Nazaire	155 F	205 F
St Pierre-Des-Corps	105 F	130 F
Surgères	150 F	180 F
Tarbes	195 F	275 F
Toulouse	195 F	275 F
Tours	105 F	130 F
Vannes	155 F	205 F
Vendôme-Villiers-sur-Loir	90 F	120 F
Vitré	140 F	175 F

Paris → Nantes → Le Croisic

N° du TGV		8801	8901	8805	8807	8909	8813	560/1	8823	8929	562/3	8933	8933
Particularités					🚼	🚼	🚼	🚼	🚼	🚼	🚼 (1)		🚼
Restauration		(*)	▣	▣	▣ (3)				▣				
Paris-Montparnasse 1-2	D	0.05	6.45	7.15	7.50	8.50	9.50		11.25	13.45		13.50	13.50
Massy	D							10.45			12.14		
Le Mans	A	0.59		8.09			10.44	11.34	12.19		13.03	14.44	14.44
Sablé	A												
Angers	A	1.37		8.47	9.18	10.18	11.22	12.13	12.57		13.42	15.22	15.22
Ancenis	A												
Nantes	A	2.16	8.45	9.26	9.56	10.58	12.02	12.53	13.36	15.47	14.22	16.02	16.02
Savenay	A		c		a		c	c	c	a		a	a
Saint-Nazaire	A		9.20			11.34	c	c	c	16.22			16.38
Pornichet	A								c				
La Baule	A					11.50			c	16.38			16.53
Le Pouliguen	A								c				
Le Croisic	A					12.01			c	16.49			17.04

N° du TGV		8837	8843	8947	8849	8955	8957	8861	8859	8863	8967	8869	8975	8879	8885	8887	8889	566/7
Particularités		🚼	🚼	🚼	🚼	🚼	🚼	🚼	🚼	🚼		🚼						🚼 (2)
Restauration											▣ (3)	▣ (4)	▣ (5)	▣ (3)				
Paris-Montparnasse 1-2	D	14.50	15.40	16.15	16.50	17.25	17.30	17.50	17.50	18.25	18.40	18.45	19.25	19.50	20.20	20.50	21.20	
Massy	D																	21.03
Le Mans	A				17.44			18.44				19.39				21.44		21.50
Sablé	A											20.00						
Angers	A	16.18	17.07		18.22			19.22	19.20			20.20			21.49	22.22	22.49	22.28
Ancenis	A											20.45						
Nantes	A	16.58	17.46	18.15	19.01	19.27	19.30	20.01	20.01	20.28	20.40	21.03	21.27	21.50	22.28	23.01	23.28	23.08
Savenay	A	c	a	a	a			c	a			c	a	a		c		c
Saint-Nazaire	A	c	a	a	a	20.03	20.06	c				21.16	22.03	a		c		c
Pornichet	A	c			a			c					22.16			c		c
La Baule	A	c			a	20.19		c				21.31	22.23			c		c
Le Pouliguen	A	c			a	b		c					22.28			c		c
Le Croisic	A	c			a	20.30		c				21.42	22.37			c		c

D Départ   **A** Arrivée

a   Correspondance à Nantes.
b   Correspondance à St Nazaire.
c   Correspondance à Nantes certains jours.

(1)   Ne circule pas les dimanches du 26 septembre au 19 décembre, du 9 au 30 janvier
      et les 15 et 22 mai. Circule les 23, 30 octobre, 26 février, 23 avril et 21 mai [3].
(2)   Circule les 29 octobre, 2 janvier, 5, 12, 13 mars, 22, 30 avril, 7, 15, 20 mai [3].

🚼   Espaces "Carré" réservables, en priorité, par les voyageurs "Kiwi" et les voyageurs accompagnés d'enfants.
▣   Service restauration à la place en 1re classe, en réservation.
(*)   Le service bar n'est pas offert dans ce TGV.

(3)   ▣ tous les jours sauf samedis, dimanches et fêtes et sauf les 1er, 10, 11 novembre, 4 avril, 11, 12 et 23 mai.
(4)   ▣ les vendredis sauf les 12 novembre et 13 mai.
(5)   ▣ sauf les 12 novembre, 24, 31 décembre et 13 mai.

SEPTIÈME SITUATION
S'IMPLANTER EN FRANCE

Une entreprise de votre pays veut s'implanter en France. Elle vous demande de lui recommander un lieu pour l'implantation de ses bureaux.

Vous proposez une implantation des bureaux dans le site correspondant à l'annonce ci-dessous.

Vous écrivez votre rapport en donnant toutes les informations importantes.

IMPLANTEZ VOTRE ENTREPRISE SUR L'ÉCOPARC LOUVIERS SUD

• L'Écoparc, 20 mn de Rouen, **1 h de Paris,** vous offre **53 ha** en bordure de l'autoroute A13 dans des conditions d'implantation optimales : sites de qualité, étude complète de chaque projet. **Prix**/m^2 : **Variable selon le nombre d'emplois créés** (du franc symbolique jusqu'à 60 F/m^2)

• Le satellite, première pépinière d'entreprises de Haute-Normandie, est une structure d'accueil proposant outre la **location de bureaux et d'ateliers**, une gamme de services (secrétariat, fax, reprographie...) adaptés aux besoins spécifiques des entreprises nouvellement créées.

- **Bureau : 1 523 F HT/Mois**

- **Ateliers : 322 F HT/m^2/Annuel**

(Prix au 01/10/92)

Renseignements : Mairie de Louviers - Tél : 32.40.22.80.
Service des relations publiques : Mr DUCHÉ

UNITÉ 1

Exercice 2

C'est de la part de qui ?

Six personnes se présentent. Écoutez bien leur nationalité et leur profession.

- « Bonjour, je m'appelle Annette Hofmann. Je suis allemande et je suis chef de publicité. »
- « Bonjour, je suis Juan Garcia. Je suis mexicain et je suis ingénieur. »
- « Bonjour, je suis Yukie Sato. Je suis japonaise et je suis secrétaire. »
- « Bonjour, Je m'appelle Dino Sani. Je suis italien et je suis comptable. »
- « Bonjour, je suis Audrey Palmer. Je suis chef des ventes et je suis américaine. »
- « Bonjour, je suis Thomas Ziolek. Je suis polonais et je suis homme d'affaires. »

Exercice 8

Moi, je…

Quatre personnes se présentent. Écoutez bien leur profession, leur nationalité et la ville où elles habitent.

Suzanne	Je suis Suzanne Albin, je suis française bien sûr, j'habite Tours et je suis réceptionniste.
Paul	Bon, je suis Paul Bernard, je suis français et j'habite Bordeaux. Je suis ingénieur commercial.
Jean-Pierre	Moi, je m'appelle Jean-Pierre Champigny, j'habite Paris et je suis ingénieur aussi. Oh, et je suis français !
Monique	Moi, je suis Monique Legrand, je suis française, j'habite Marseille et je suis secrétaire. Et voilà !

UNITÉ 2

Exercice 4

Des candidats à un emploi

Le chef du personnel d'une entreprise internationale a quatre candidats à un emploi. Écoutez-le. Il les présente.

« Eh bien, j'ai une liste de candidats qui cherchent un emploi dans la société. D'abord il y a Thomas Harper. Il est américain. Il a vingt-deux ans. Il est chef de publicité. Puis, Elisa Bosco. Elle est italienne, elle a dix-neuf ans. Elle est secrétaire. Ensuite, Daniel Berrogain. Il est français. Il a trente ans. Il est comptable. Enfin, Barbara Becker. Elle est allemande, elle a vingt-sept ans. Elle est chef des ventes. »

UNITÉ 3

Exercice 1

Elle fait une réservation.

Rébecca téléphone à l'hôtel de France. Elle réserve une chambre pour Paul Schmidt à partir du 16 décembre pour deux nuits. Écoutez-la.

Le réceptionniste	Allô, oui.
Rébecca	C'est bien l'hôtel de France ?
Le réceptionniste	Oui. J'écoute.
Rébecca	Bonjour, monsieur. Je voudrais réserver une chambre, s'il vous plaît.
Le réceptionniste	Oui, madame. Pour combien de personnes ?
Rébecca	Pour une personne.
Le réceptionniste	Pour combien de nuits ?
Rébecca	Pour deux nuits à partir du seize décembre.
Le réceptionniste	C'est à quel nom?
Rébecca	Au nom de monsieur Paul Schmidt.
Le réceptionniste	Et votre numéro de téléphone ?
Rébecca	C'est le quatre-vingt-huit, quarante et un, quarante-deux, zéro, zéro (88.41.42.00).
Le réceptionniste	Parfait. Merci, madame.
Rébecca	Merci et au revoir, monsieur.

Exercice 5

Votre numéro de téléphone, s'il vous plaît ?

Écoutez les numéros de téléphone de ces quatre personnes et écrivez-les.

Catherine Deborne de Paris :
40.35.27.51
Victor Berni de Bologne en Italie :
19.39.51.33.47.68
Elena Hubik de Prague en République tchèque :
19.42.2.22.44.53
Manuel Torres de Bogota en Colombie :
19.57.6.18.46.23

Exercice 6

Avec salle de bains, s'il vous plaît !

Elsa Martinez travaille dans une agence de voyages. Des clients téléphonent. Écoutez.

1. Bonjour, madame. Je voudrais réserver une chambre d'hôtel pour deux nuits à partir du 14 février. Je voudrais une chambre avec salle de bains et téléphone. C'est au nom de Leroy.
2. Bonjour. Nous cherchons un hôtel pour notre famille pour quinze jours. Une chambre pour deux personnes

avec salle de bains et deux chambres pour une personne pour les enfants.

3. Je voudrais réserver une chambre pour une personne pour une nuit au nom de Legrand. Il voudrait une chambre avec salle de bains, télévision et téléphone.

4. Je voudrais réserver des chambres pour vingt personnes de notre société pour quatre nuits. Ils voudraient un hôtel avec restaurant et parking.

UNITÉ 4

Exercice 2

DE 0 à 24 heures

Écoutez et notez l'heure d'arrivée de vos collègues.

Anne arrive dimanche à quinze heures trente.
Paul arrive mercredi à sept heures quinze.
Stéphane arrive lundi à neuf heures quarante.
Mélanie arrive vendredi à dix-sept heures.
Jean arrive samedi à quatre heures.
Sabine arrive mardi à dix-sept heures cinq.
Pierre arrive jeudi à vingt et une heures quarante-cinq.

Exercice 5

À quelle date ?

Écoutez et écrivez les dates dans l'ordre où vous les entendez.

le cinq novembre
le huit février
le trente septembre
le quinze avril
le onze juin
le six janvier
le dix-huit août
le vingt et un mai

Exercice 7

Cette semaine, qu'est-ce que vous faites ?

Votre secrétaire vérifie les rendez-vous de la semaine. Écoutez-la attentivement.

D'abord lundi, vous avez une réunion à dix heures avec madame Pinot. Mardi, vous avez une réunion avec monsieur Michel à quatorze heures. Mercredi à dix heures vingt, le chef des achats de la société Leroy ; jeudi à quinze heures trente, le chef de production ; vendredi à onze heures, le chef de production et le chef des ventes.

Exercez-vous !

C'est sûr ou non ?

Écoutez et complétez ces six phrases en mettant la bonne ponctuation.

1. C'est avec douche ?
2. C'est pour deux nuits seulement.
3. Elle prend l'avion le seize (16) ?

4. Ils arrivent vers huit heures ?
5. Ils prennent le train jusqu'à Paris.
6. Elle arrive lundi à dix-huit heures.

UNITÉ 5

Exercice 1

Un aller-retour

Vous achetez un billet de train aller-retour pour aller de Paris à Rouen. Vous n'avez pas de monnaie.

Vous	Un billet pour Rouen, s'il vous plaît.
L'employé	Aller simple ou aller-retour ?
Vous	Un aller-retour. Ça fait combien?
L'employé	226 francs, monsieur.
Vous	Je suis désolé(e), je n'ai pas de monnaie. À quelle heure est le train ?
L'employé	À quinze heures treize, monsieur.
Vous	Quel quai, s'il vous plaît?
L'employé	Quai numéro 17 (dix-sept).

Exercice 4

À la gare du Nord

Vous êtes à la station gare du Nord. Vous aidez des voyageurs dans le métro.

1. Pour aller à Odéon, s'il vous plaît ?
2. Pour aller à la gare d'Austerlitz, s'il vous plaît ?
3. Pour aller à la porte de Pantin, s'il vous plaît ?
4. Pour aller à Saint-Michel, s'il vous plaît ?

Exercice 6

Bingo !

1. Écoutez les nombres suivants.

soixante quinze (75) - quatre-vingt-un (81) - quatre-vingt-dix-neuf (99) - soixante-dix-sept (77) - soixante-trois (63) - quatre-vingt-seize (96)

2. Écrivez les nombres suivants

soixante-douze (72) - quatre-vingt-six (86) - quatre-vingt-onze (91) - quatre-vingt-neuf (89) - quatre-vingt-douze (92) - quatre-vingt-huit (88) - quatre-vingt-quatorze (94) - quatre-vingt-un (81) - soixante-quinze (75) - soixante et onze (71)

Exercice 7

Votre attention, s'il vous plaît.

Paul et Claire sont gare Montparnasse. Ils cherchent le train pour Angers.
Écoutez les annonces de train et notez le numéro du train, l'heure de départ du train et le numéro du quai.

Votre attention, s'il vous plaît. Le TGV 84 10 en provenance de Bordeaux, arrivera à neuf heures trente, quai numéro sept.
Votre attention, s'il vous plaît. Le train 84 775 à destination de Chartres, départ neuf heures vingt-neuf, partira quai numéro trois.
Le train TGV 88 37 à destination d'Angers, départ neuf heures cinquante, partira quai numéro deux.

Exercice 9

Taxi !*

À Angers, Dino Lavarini, le chef de publicité de chez Progetti, prend un taxi pour aller à l'hôtel du Roi René. Écoutez.

Dino	L'hôtel du Roi René, s'il vous plaît ?
Le chauffeur de taxi	Très bien. Montez. Vous êtes espagnol ?
Dino	Non, je suis italien.
Le chauffeur de taxi	Vous êtes en vacances ?
Dino	Non, je suis en voyage d'affaires.
Le chauffeur de taxi	Vous parlez très bien français.
Dino	Merci, je suis des cours de français depuis six mois.
Le chauffeur de taxi	Voilà votre hôtel. Ça fait 48 francs. Bon séjour !

Exercice 11

À quelle heure est-ce qu'il y a un train ?

Francine Deschamp travaille dans une agence de voyages. Écoutez et notez la demande des clients.

1. Bonjour, madame. Je veux aller à Versailles. Je voudrais partir le soir, un vendredi. À quelle heure est-ce qu'il y a un train ?
2. Je veux aller en vacances à Nantes en juin. Est-ce qu'il y a un train le dimanche soir ?
3. Je vais en voyage d'affaires à Bordeaux. J'ai un rendez-vous à onze heures. C'est possible de prendre un train le mercredi vers huit heures ?
4. Je pars voir mes enfants pour les vacances de Pâques, au mois d'avril. Ils habitent à Lyon. Je veux voyager l'après-midi et partir le samedi. À quelle heure est-ce qu'il y a un train ?

UNITÉ 6

Exercice 1

Chambre trois cent deux

Paul est à la réception de l'hôtel de France.

Paul	Bonjour, j'ai une chambre réservée au nom de Schmidt.
Le réceptionniste	Ah oui, monsieur Schmidt. Vous êtes en déplacement pour la société ITEX, n'est-ce pas ? Vous avez une pièce d'identité, s'il vous plaît ?
Paul	Oui, voilà mon passeport.
Le réceptionniste	Merci, monsieur. Voulez-vous remplir la fiche ?
Paul	Bien sûr !
Le réceptionniste	Voilà votre clef. C'est la chambre numéro trois cent deux, avec douche.
Paul	Merci. Est-ce qu'il y a un bar ?
Le réceptionniste	Là-bas, monsieur.
Paul	À quelle heure est le dîner ?
Le réceptionniste	À partir de vingt heures, monsieur.

Exercice 6

Au quatrième top, il sera exactement...

Vous téléphonez à l'horloge parlante pour connaître l'heure exacte. Écoutez bien.

1. au quatrième top, il sera exactement deux heures dix minutes.
2. au quatrième top, il sera exactement dix-huit heures quarante-cinq minutes.
3. au quatrième top, il sera exactement seize heures vingt et une minutes.
4. au quatrième top, il sera exactement onze heures onze minutes.
5. au quatrième top il sera exactement vingt et une heure vingt-cinq minutes.
6. au quatrième top, il sera exactement cinq heures quinze minutes.

Exercice 8

C'est ouvert !

Écoutez le réceptionniste de l'hôtel et notez bien les renseignements qu'il donne aux clients.

1.

Le réceptionniste	Et voilà votre clef, madame. Chambre numéro 36.
Une cliente	Merci, monsieur. Pouvez-vous me dire à quelle heure est le petit déjeuner le matin ?
Le réceptionniste	À partir de sept heures, madame.

2.

Le réceptionniste	Bonjour, monsieur.
Un client	Bonjour, monsieur. Le déjeuner est à quelle heure ?
Le réceptionniste	Le restaurant est ouvert entre midi et quatorze heures.
Un client	Et le soir ?
Le réceptionniste	Vous pouvez dîner entre dix-sept heures et vingt-deux heures trente, monsieur.
Un client	Merci, monsieur.

3.

Le réceptionniste	Voilà votre passeport, monsieur. C'est la chambre numéro cinq cents, avec salle de bains.
Un client	Merci. J'ai un rendez-vous ce soir. À quelle heure est-ce que le bar ouvre ?
Le réceptionniste	Il est ouvert toute la journée.

Exercice 9

Un emploi du temps chargé

Claire téléphone à sa secrétaire son emploi du temps. Écoutez-la et complétez son agenda.

Claire : « J'arrive à Angers lundi à quinze heures trente, environ. Mardi à neuf heures, j'ai une réunion avec Gérard Leclerc, le directeur de l'usine. Nous déjeunons ensemble, avec Paul et Marianne, une collègue. À quatorze heures, je visite l'usine. Mercredi, à neuf heures trente, j'ai rendez-vous avec le chef de production, et à deux heures et demie, je rencontre le personnel. Jeudi matin, je prends le petit déjeuner avec l'ingénieur commercial et des clients anglais, et à quinze heures, je visite une société de publicité à Tours. Vendredi, je rencontre des candidates à un emploi d'assistante, et l'après-midi, je visite Angers. Samedi matin, je prends le train à neuf heures trente-deux et j'arrive à Paris à treize heures trente-cinq. Je prends l'avion pour Strasbourg à seize heures ».

Exercice 14

Un bel appartement

Paul, Claire et Marianne visitent un appartement. Comment est-il ? Écoutez-les.

Paul	C'est ici, au premier étage. Voilà, mesdames.
Claire	Mais c'est grand. Le salon est immense. J'aime ça.
Marianne	Il est confortable. J'aime beaucoup ce canapé.
Claire	Une petite table et des chaises... et il y a un poste de télévision !
Paul	Bien sûr !
Marianne	Qu'est-ce que c'est ? C'est une douche. Tu n'as pas de salle de bains alors.
Claire	La chambre donne sur le parc. La vue est très belle. Il y a un parking ?
Paul	Oui. En face.
Claire	C'est bien. J'aime beaucoup.

UNITÉ 7

Exercice 1

Une table pour deux

Annette Louman téléphone au restaurant La Calèche pour réserver une table pour deux personnes à 20 h 30, ce soir.

L'employé	Restaurant La calèche. J'écoute.
Annette Louman	Bonjour, monsieur, je voudrais réserver une table pour ce soir.
L'employé	Bien sûr, madame. Pour combien de personnes ?
Annette Louman	Pour deux personnes.
L'employé	À quelle heure ?
Annette Louman	À vingt heures trente.
L'employé	D'accord. À quel nom ?
Annette Louman	Au nom de Louman
L'employé	C'est noté, madame. Au revoir.

Exercice 2

C'est noté !

Écoutez le gérant du restaurant Chez Henri. Il prend des réservations au téléphone.

1. Le gérant et la secrétaire de la société Leroy

Le gérant	Allô, oui. Restaurant Chez Henri.
La secrétaire	Je voudrais réserver une table pour le samedi 2 juin.
Le gérant	Pour combien de personnes, madame.
La secrétaire	Un groupe de vingt personnes.
Le gérant	Oui, c'est possible. C'est à quel nom ?
La secrétaire	Au nom de la société Leroy.
Le gérant	Vous arriverez vers quelle heure ?
La secrétaire	Pour l'apéritif à dix-neuf heures trente.
Le gérant	C'est noté, madame. Merci et au revoir.

2. Le gérant et monsieur Legrand.

Le gérant	Allô, bonjour. Restaurant Chez Henri, j'écoute.
Monsieur Legrand	Bonjour monsieur. Je voudrais réserver une table pour vendredi midi.
Le gérant	Oui, monsieur. Pour combien de personnes ?
Monsieur Legrand	Deux. Au nom de Legrand.
Le gérant	D'accord, merci. Au revoir, monsieur.
Monsieur Legrand	Au revoir.

3. Le gérant et madame Dufour

Le gérant	Restaurant Chez Henri. J'écoute.
Madame Dufour	Je voudrais réserver une table pour samedi soir.
Le gérant	Oui, madame. Pour combien de personnes ?
Madame Dufour	Nous serons six.
Le gérant	À quelle heure madame ?
Madame Dufour	Vingt heures.
Le gérant	C'est à quel nom ?
Madame Dufour	Dufour.
Le gérant	C'est noté, madame. Au revoir et merci.
Madame Dufour	Au revoir, monsieur.

Exercice 6

L'addition, s'il vous plaît !

Vous avez calculé combien chaque personne doit payer ? Maintenant, écoutez-les et vérifiez votre addition.

Martine	J'ai pris un jus d'orange et une tarte aux pommes. Je dois payer 25 francs.
Nicole	Moi, j'ai pris un thé et un croissant. Je dois payer 20 francs 50.
Jean-Luc	Moi, j'ai bu un café. Je dois payer 6 francs 80.
Bernard	Moi, j'ai pris un thé et une tarte. Je dois payer 26 francs 50.

Exercice 7

Qui choisit quoi ?

Écoutez cette conversation au restaurant Au trou normand.

Le serveur	Messieurs-dames. Vous avez choisi ?
Jean-Claude	Madame Dufour, qu'est-ce que vous prenez ?
Madame Dufour	Alors moi, je prends le poulet flambé à l'armagnac.
Jean-Claude	Et Anne-Marie, tu as choisi ?
Anne-Marie	Pour moi, c'est la sole à la normande.
Jean-Claude	Apportez-moi un steak au poivre.
Le serveur	Saignant ou bien cuit, monsieur ?
Jean-Claude	Saignant, s'il vous plaît.

UNITÉ 8

Exercice 2

Je voudrais des chèques de voyage.

Christian Deloncle travaille dans une banque. Un client, Frédéric Jamot, téléphone. Écoutez leur conversation.

Monsieur Jamot	Bonjour, monsieur. Fréderic Jamot à l'appareil.
L'employé	Oui. Bonjour monsieur Jamot. Que puis-je pour vous ?
Monsieur Jamot	Je pars au Japon, vendredi matin et je voudrais commander des chèques de voyage.
L'employé	Combien voulez-vous ?
Monsieur Jamot	Je voudrais quatre mille dollars.
L'employé	Voulez-vous des chèques de cinquante ou de cent dollars ?
Monsieur Jamot	De cinquante dollars.
L'employé	Quand passez-vous les prendre ?
Monsieur Jamot	Jeudi, vers trois heures de l'après-midi, ça va ?
L'employé	D'accord. Apportez votre passeport.

Exercice 8

C'est possible ?

Christian Deloncle répond aux questions de quatre clients. Écoutez les questions et trouvez la réponse qui convient.

1.
| Un homme | Je travaille de neuf heures à six heures. Je voudrais retirer de l'argent quand les banques sont fermées. Est-ce possible ? |

2.
| Une femme | Je n'aime pas faire de chèque pour mes quittances et mes impôts. J'aimerais un moyen de paiement plus pratique. |

3.
| Un homme | Combien d'argent peut-on retirer avec une carte bleue ? |

4.
| Une femme | Mon mari et moi voudrions un compte-joint. Mais je voudrais mon propre chéquier. C'est possible ? |

UNITÉ 9

Exercice 3

Où suis-je ?

Écoutez ces quatre personnes. Suivez les directions qu'elles donnent sur le plan et indiquez où elles se trouvent.

1. Je suis à l'office du tourisme. Je tourne à droite et puis à gauche. Je suis dans une grande rue. Je prends la sixième rue à gauche. Je traverse la place Verdun, puis je prends la première rue à gauche. Je suis devant un grand bâtiment. Qu'est-ce que c'est ?

2. Je suis devant l'église de Nantilly, je prends la rue Hoche. Je prends la troisième à droite. J'arrive sur une place. Comment s'appelle cette place ?

3. Je sors de la maison du Vin, rue Beaurepaire, je tourne à droite, puis à gauche. Je traverse une place et j'arrive sur un pont. Comment s'appelle ce pont ?

4. Je suis à la gare routière. Je tourne à droite sur le quai Carnot. Je prends la première rue à droite et la cinquième à gauche. Ensuite, je prends la troisième rue à droite. Un peu plus loin il y a une église. Où suis-je ?

Exercice 1

Je voudrais commander

Monsieur Yves passe une commande par téléphone à Manuel Rodrigo. Écoutez bien et notez sa commande.

Monsieur Rodrigo ? Bonjour ! Henri Yves à l'appareil. Je voudrais commander les marchandises suivantes. D'abord l'article numéro 546 à 54 francs en gris et rose. Puis, l'article numéro 550 à 62 francs en bleu. Ensuite, l'article numéro 321 à 71 francs en blanc et noir. Ensuite, l'article numéro 210 à 75 francs en rouge et beige. Ensuite, l'article numéro 142 à 115 francs en vert. Et enfin l'article numéro 236 à 134 francs en jaune.

UNITÉ 10

Exercice 2

Super ou sans plomb ?

Paul s'arrête pour faire le plein d'essence sans plomb.
Il veut faire vérifier l'huile, l'eau et la pression des
pneus. De plus, son pare-brise est sale. Enfin, il veut
un reçu. Écoutez-le.

Paul	Le plein, s'il vous plaît.
Le pompiste	Normal, super ou sans plomb ?
Paul	Sans plomb, s'il vous plaît.
Le pompiste	Vous voulez que je vérifie l'huile ?
Paul	Oui, vérifiez l'huile et l'eau. Vous pouvez vérifier la pression des pneus et essuyer le pare-brise. Il est très sale.
Le pompiste	Voilà. C'est fait. Ça fait 180 francs pour l'essence.
Paul	Voilà 200 francs. Vous me donnez un reçu, s'il vous plaît.
Le pompiste	Bien sûr. Voilà, monsieur. Au revoir et bonne route.

Exercice 6

Votre passeport, s'il vous plaît !

Vous êtes en voyage d'affaires en France. Vous avez
un rendez-vous à Paris et vous avez juste le temps
d'arriver à l'heure. Vous êtes à l'aéroport et vous
passez la douane. Que pourrait-il se passer ?
Écoutez.

Le douanier	Bonjour ! Votre passeport, s'il vous plaît.
Vous	Oui, le voilà.
Le douanier	Vous venez en vacances ?
Vous	Non, je suis en voyage d'affaires.
Le douanier	Vous n'avez rien à déclarer ?
Vous	Non, rien du tout.
Le douanier	Je dois fouiller vos bagages.
Vous	J'ai un rendez-vous à Paris. J'ai juste le temps d'arriver à l'heure. Ça va durer longtemps ?
Le douanier	Dix minutes maximum.

Exercice 7

En panne

Écoutez ce dialogue entre un automobiliste tombé en
panne et un garagiste.

Le garagiste	Bonjour, monsieur. Alors, qu'est-ce qui se passe ?
L'automobiliste	La voiture… elle s'est arrêtée.
Le garagiste	Vous avez de l'essence ?
L'automobiliste	Oui, j'ai fait le plein ce matin.
Le garagiste	Bon. Je vais vérifier le niveau de l'huile… et de l'eau. (…) Eh bien, voilà. Il n'y a plus d'eau.
L'automobiliste	C'est pas vrai !
Le garagiste	Bon, on va aller jusqu'au garage et regarder ça.

UNITÉ 11

Exercice 1

Si on allait à saumur !

Gérard propose à Claire d'aller à Saumur. Écoutez-les.

Gérard	Vous connaissez Saumur ?
Claire	Non, je n'y suis jamais allé.
Gérard	Si on y allait un dimanche ? On peut faire les endroits touristiques - le musée, le château… Ça vous dit ?
Claire	Oh oui, pourquoi pas. Ce sera très intéressant.
Gérard	Vous aimez les musées ? Ils sont ouverts le week-end. Le soir, on pourra aller au théâtre et manger au restaurant après.
Claire	Ça me plairait énormement.

Exercice 5

En bateau-mouche.

Gérard et Franck visitent Paris en bateau-mouche.
Écoutez les commentaires du guide.

Vous avez les Invalides sur votre droite. Maintenant,
sur votre gauche, vous voyez le jardin des Tuileries et
à droite, le musée d'Orsay. Le musée du Louvre est
sur votre gauche. Maintenant nous passons sous le
Pont Neuf. Le Châtelet et un peu plus loin, l'Hôtel de
Ville, sont à gauche. Et maintenant nous arrivons à la
cathédrale de Notre-Dame.

UNITÉ 12

Exercice 3

Allô, docteur !

Écoutez la secrétaire du docteur Bonnet et notez les
rendez-vous qu'elle prend au téléphone…

1.	La secrétaire	Allô, oui ?
	Madame Berthon	Bonjour. Je voudrais prendre rendez-vous avec le docteur Bonnet.
	La secrétaire	Oui, madame. Pouvez-vous venir aujourd'hui à deux heures ?
	Madame Berthon	Oui. Ça ira.
	La secrétaire	Quel est votre nom ?
	Madame Berthon	C'est Madame Berthon (B.E.R.T.H.O.N).
	La secrétaire	Très bien, madame. Alors, cet après-midi à quatorze heures. Au revoir madame.
2.	La secrétaire	Ici le cabinet du docteur Bonnet. J'écoute.
	Monsieur Benoit	Je voudrais prendre un rendez-

	vous avec le médecin mercredi après-midi, si possible.
La secrétaire	Mercredi après-midi. À trois heures ? Ça ira ?
Monsieur Benoit	Oui, très bien.
La secrétaire	C'est quel nom ?
Monsieur Benoit	C'est monsieur Benoit (B.E.N.O.I.T).
La secrétaire	C'est d'accord. mercredi à quinze heures. Au revoir, monsieur.

3.
La secrétaire	Allô, oui ?
Madame Jeanlin	Je voudrais prendre rendez-vous pour mon fils. Il a eu un petit accident et il a mal au genou.
La secrétaire	Pouvez-vous venir demain matin à neuf heures ?
Madame Jeanlin	Je préfère venir ce soir. Il a très mal.
La secrétaire	Si c'est urgent, le médecin peut vous voir à sept heures.
Madame Jeanlin	Merci, madame.
La secrétaire	C'est quel nom ?
Madame Jeanlin	Jeanlin (J.E.A.N.L.I.N)
La secrétaire	Et le prénom de votre fils ?
Madame Jeanlin	Pierre.
La secrétaire	Très bien, madame. Alors ce soir à dix-neuf heures.

Exercice 6

Qu'est-ce que je peux prendre ?

Vous êtes à la pharmacie. Il y a trois personnes devant vous. Vous écoutez leurs questions et les réponses du pharmacien.

1.
| Un homme | J'ai mal à la gorge depuis quatre jours. Avez-vous quelque chose pour le mal de gorge ? |
| Le pharmacien | J'ai des comprimés. Vous les sucez quand vous avez mal. Mais il ne faut pas en prendre plus de huit par jour. |

2.
Une femme	Mon mari a la grippe. Il ne veut pas voir le médecin. Qu'est-ce que vous conseillez ?
Le pharmacien	Il a de la fièvre ?
Une femme	Oui. Depuis le week-end.
Le pharmacien	Bon, je vous donne de l'aspirine à prendre quatre fois par jour. Et des comprimés effervescents à la vitamine C. Si ça continue il faut aller voir le médecin.

3.
| Une femme | Mon fils a une indigestion. Il a très mal. Qu'est-ce qu'il faut faire ? |
| Le pharmacien | Essayez ces comprimés. Il faut en sucer un ou deux après les repas. |

UNITÉ 13

Exercice 2

Pas avant demain

Christian Mérat de la société Capuro et Compagnie voudrait parler au chef de production de la société Michaud.

La réceptionniste	Société Michaud, bonjour.
Monsieur Mérat	Bonjour. Pourrais-je parler au chef de production, s'il vous plaît ?
La réceptionniste	De la part de qui ?
Monsieur Mérat	Christian Merat de la société Capuro et Compagnie.
La réceptionniste	Je suis désolée. Il est en réunion maintenant.
Monsieur Mérat	Quand est-ce que je pourrai le joindre ?
La réceptionniste	Pas avant demain matin.
Monsieur Mérat	Bon. Je rappellerai demain matin. Merci.

Exercice 6

Allô, ITEX, bonjour !

Écoutez les messages téléphoniques sur le répondeur de Gérard Leclerc et notez tous les renseignements.

1. Ici la société Leroy. Nous sommes marchands de papier et d'articles de bureau. Nous sommes au numéro 7, rue Saint-Jacques. Notre numéro de téléphone est le 42. 55. 29. 47. Demandez à parler à Marc.

2. Bonjour, ici Jean-Claude Thibault (T-H-I-B-A-U-L-T) de l'entreprise Duchesne (D-U-C-H-E-S-N-E). Nous sommes spécialistes en réparations d'ascenseurs et d'escaliers roulants. Notre numéro de téléphone est le 41. 44. 81. 81.

3. Bonsoir. Ici Marcel et fils. Nous vous avons envoyé notre catalogue de cadeaux d'entreprise et nous attendons votre commande. Nous sommes au 54, avenue Charlebois (C-H-A-R-L-E-B-O-I-S) ; téléphone 45. 68. 93. 42 ; demandez André Marcel.

UNITÉ 15

Deuxième situation

Au standard

Vous travaillez comme standardiste dans une société. À l'heure du déjeuner, les appels extérieurs sont enregistrés sur un répondeur automatique. À votre retour, vous remplissez une fiche pour chaque appel.

1. *Une femme* : Bonjour. Ici Françoise Renault, La secrétaire de monsieur Lemaire (L.E.M.A.I.R.E). J'ai un message pour votre directeur. C'est pour dire que monsieur Lemaire a changé la date de sa visite. Il arrive le 14 septembre.

2. *Un homme* : Ici monsieur Maurois, chef des achats de la société Loti, téléphone 36.95.05.05. Je voudrais des renseignements sur votre produit référence AB 2007 dans votre catalogue. Voulez-vous me rappeler.

3. *Une femme* : Bonjour, euh, j'ai vu votre annonce dans le journal, et je voudrais un formulaire de demande de candidature pour votre poste de réceptionniste. C'est mademoiselle Vandestoc (V.A.N.D.E.S.T.O.C), 14, rue de la Madeleine.

4. *Un homme* : Ici Jacques Vignault (V.I.G.N.A.U.L.T), gérant de la maison Bontemps. Nous avons bien reçu la livraison, merci. Nous avons besoin de cinq pièces supplémentaires numéro Y-Z 4015.

5. *Une femme* : Bonjour, c'est mademoiselle Février. C'est pour confirmer que je viens passer les tests d'embauche mardi prochain. Merci.

6. *Un homme* : Nous avons bien reçu votre commande. Nous vous expédions la marchandise demain par route. C'est l'usine Danuc.

7. *Une femme* : Ici Martine. Je voulais parler à Franck à propos de la nouvelle publicité. Demandez-lui de me rappeler.

8. *Un homme* : Je voudrais parler avec votre chef comptable à propos de votre dernière facture. Demandez Alain François au numéro 35.24.52.11, le directeur du magasin Decan.

Quatrième situation

Un accident de travail

Vous travaillez dans une entreprise au service du personnel. Un ouvrier, Jean Bénard, a eu un accident léger et vous êtes chargé de faire un rapport. Vous interrogez les témoins et l'ouvrier blessé pour remplir votre rapport. Écoutez-les attentivement.

Vous	François, vous avez vu l'accident la semaine dernière. Jean Bénard a été blessé... mardi dernier, le trois.
François	Oui, alors, c'était dans l'entrepôt. Je n'ai pas tout vu mais j'ai entendu un bruit. Il s'est blessé au pied, mais je ne sais pas comment.
Vous	Philippe, vous avez appelé les urgences ?
Philippe	Oui, il s'était blessé au pied. Nous avons appelé les urgences et une ambulance l'a emmené à l'hôpital.
Vous	Jean, qu'est-ce qui s'est passé ?
Jean	J'étais dans l'entrepôt. Je me suis laissé tomber une grosse pièce sur le pied droit. Depuis une semaine je ne peux plus marcher. Je suis allé à l'hôpital. J'ai rendez-vous mercredi prochain.

LE VERBE

LE PRÉSENT

Les verbes réguliers

Chercher	Remplir	Vendre
Je cherche	Je remplis	Je vends
Tu cherches	Tu remplis	Tu vends
Il/elle cherche	Il/elle remplit	Il/elle vend
Nous cherchons	Nous remplissons	Nous vendons
Vous cherchez	Vous remplissez	Vous vendez
Ils /elles cherchent	Ils/elles remplissent	Ils/elles vendent

Les verbes irréguliers

Avoir	Connaître	Obtenir
J'ai	Je connais	J'obtiens
Tu as	Tu connais	Tu obtiens
Il/elle a	Il/elle connaît	Il/elle obtient
Nous avons	Nous connaissons	Nous obtenons
Vous avez	Vous connaissez	Vous obtenez
Ils/elles ont	Ils/elles connaissent	Ils/elles obtiennent

Être	Devenir	Payer
Je suis	Je deviens	Je paie/paye
Tu es	Tu deviens	Tu paies/payes
Il/elle est	Il/elle devient	Il/elle paie/paye
Nous sommes	Nous devenons	Nous payons
Vous êtes	Vous devenez	Vous payez
Ils/elles sont	Ils/elles deviennent	Ils/elles paient/payent

Aller	Devoir	Pouvoir
Je vais	Je dois	Je peux
Tu vas	Tu dois	Tu peux
Il/elle va	Il/elle doit	Il/elle peut
Nous allons	Nous devons	Nous pouvons
Vous allez	Vous devez	Vous pouvez
Ils/elles vont	Ils doivent	Ils/elles peuvent

Apprendre	Faire	Prendre
J'apprends	Je fais	Je prends
Tu apprends	Tu fais	Tu prends
Il/elle apprend	Il/elle fait	Il/elle prend
Nous apprenons	Nous faisons	Nous prenons
Vous apprenez	Vous faites	Vous prenez
Ils/elles apprennent	Ils/elles font	Ils/elles prennent

Boire	Mettre	Recevoir
Je bois	Je mets	Je reçois
Tu bois	Tu mets	Tu reçois
Il/elle boit	Il/elle met	Il/elle reçoit
Nous buvons	Nous mettons	Nous recevons
Vous buvez	Vous mettez	Vous recevez
Ils/elles boivent	Ils/elles mettent	Ils/elles reçoivent

Savoir

Je sais
Tu sais
Il/elle sait
Nous savons
Vous savez
Ils/elles savent

Venir

Je viens
Tu viens
Il/elle vient
Nous venons
Vous venez
Ils/elles viennent

Vouloir

Je veux
Tu veux
Il/elle veut
Nous voulons
Vous voulez
Ils /elles veulent

Suivre

Je suis
Tu suis
Il/elle suit
Nous suivons
Vous suivez
Ils/elles suivent

Voir

Je vois
Tu vois
Il/elle voit
Nous voyons
Vous voyez
Ils/elles voient

Les verbes pronominaux

S'appeler

Je m'appelle
Tu t'appelles
Il/elle s'appelle

Nous nous appelons
Vous vous appelez
Ils/elles s'appellent

Attention à l'infinitif des verbes pronominaux !

exemple : se rendre

Je dois me rendre
Tu dois te rendre
Il/elle doit se rendre

Nous devons nous rendre
Vous devez vous rendre
Ils/elles doivent se rendre

LE PASSÉ COMPOSÉ
Le passé composé avec **Avoir**

Réserver → réservé

J'ai réservé
Tu as réservé
Il/elle a réservé
Nous avons réservé
Vous avez réservé
Ils/elles ont réservé

Choisir → choisi

J'ai choisi
Tu as choisi
Il/elle a choisi
Nous avons choisi
Vous avez choisi
Ils/elles ont choisi

Répondre → répondu

J'ai répondu
Tu as répondu
Il/elle a répondu
Nous avons répondu
Vous avez répondu
Ils/elles ont répondu

Les participes passés irréguliers

Avoir → eu
Être → été
Apprendre → appris
Boire → bu
Connaître → connu
Devoir → dû

Faire → fait
Mettre → mis
Obtenir → obtenu
Pouvoir → pu
Prendre → pris
Recevoir → reçu

Remettre → remis
Reconnaître → reconnu
Savoir → su
Suivre → suivi
Voir → vu
Vouloir → voulu

Le passé composé avec **Être**

Arriver

Je suis arrivé(e)	Nous sommes arrivé(e)s
Tu es arrivé(e)	Vous êtes arrivé(e)(s)
Il est arrivé	Ils sont arrivés
Elle est arrivée	Elles sont arrivées

Aller → allé	**Rester** → resté
Entrer → entré	**Retourner** → retourné
Descendre → descendu	**Revenir** → revenu
Naître → né	**Sortir** → sorti
Monter → monté	**Tomber** → tombé
Mourir → mort	**Venir** → venu
Partir → parti	

Le passé composé des verbes pronominaux

S'arrêter

Je me suis arrêté(e)	Nous nous sommes arrêté(e)s
Tu t'es arrêté(e)	Vous vous êtes arrêté(e)(s)
Il s'est arrêté	Ils se sont arrêtés
Elle s'est arrêtée	Elles se sont arrêtées

LE PASSE RÉCENT

Venir de + infinitif

Je viens de téléphoner au chef des achats.
Elle vient d'arriver au bureau.
Nous venons d'apprendre sa maladie.

LE FUTUR

Formation : infinitif + -ai, -as, -a, -ons, -ez, -ont

Trouver	Choisir	Répondre
Je trouverai	Je choisirai	Je répondrai
Tu trouveras	Tu choisiras	Tu répondras
Il/elle trouvera	Il/elle choisira	Il/elle répondra
Nous trouverons	Nous choisirons	Nous répondrons
Vous trouverez	Vous choisirez	Vous répondrez
Ils/elles trouveront	Ils/elles choisiront	Ils/elles répondront

Les verbes irréguliers

Avoir → j'aurai	**Payer** → je paierai/payerai
Être → je serai	**Pouvoir** → je pourrai
Aller → j'irai	**Rappeler** → je rappellerai
Devenir → je deviendrai	**Recevoir** → je recevrai
Devoir → je devrai	**Relever** → je relèverai
Faire → je ferai	**Savoir** → je saurai
Obtenir → j'obtiendrai	**Venir** → je viendrai

LE FUTUR PROCHE

Aller + infinitif

Je vais passer six mois ici.
Il va aller en voyage d'affaires.
Nous allons payer l'addition.

LE CONDITIONNEL PRÉSENT

Formation : radical du futur + -ais, -ais, -ait, -ions, -iez, -aient

Futur	*Conditionnel*
je trouverai	Je trouverais
Nous serons	Nous serions

LE PASSIF

Formation : *être* + participe passé

exemple : réserver
Cette place de train est réservée par l'agence de voyage.

LE PARTICIPE PRÉSENT

Formation : radical de la 1ère personne pluriel de l'indicatif + ant

exemple : signer → nous signons → signant

Gérondif : en signant

L'IMPÉRATIF

Apporter	**Tourner**	**Faire**
Apporte de l'eau	Tourne à droite	Fais attention
Apportez de l'eau	Tournez à droite	Faites attention

LA CONSTRUCTION DES VERBES

La construction directe

Désirer → Je désire recevoir un salaire de 9 000 francs.
Devoir → Vous devez payer la note.
Pouvoir → Vous pouvez retirer cinq cents francs.
Vouloir → Je veux changer mille francs.
Se faire → Vous vous ferez rembourser.
Laisser → Laissez faire.

Les verbes construits avec À

Répondre à
J'ai répondu à sa lettre.

Téléphoner à
Paul a téléphoné au chef des achats.

Les verbes construits avec DE

Décider de (+ infinitif)
Il a décidé de venir.

Empêcher de (+ infinitif)
Nous l'empêchons de travailler.

Dépendre de (+ nom)
La décision dépend du directeur.

Les verbes construits avec À et DE

Demander à quelqu'un de faire quelque chose
Il a demandé au chef des achats de passer une commande.

Proposer à quelqu'un de faire quelque chose
Il a proposé à Paul d'aller à Paris.

Conseiller à quelqu'un de faire quelque chose
Il a conseillé à Paul d'aller au musée du Louvre.

LES VERBES IMPERSONNELS

Il faut	Il faut partir
Il fait	Il fait beau
	Il fait mauvais
	Il fait du vent
	Il fait du soleil

Mais attention !

Il pleut
Il neige

LE NOM

	Singulier	Pluriel
Masculin	un directeur	des directeurs
Féminin	la secrétaire	les secrétaires

Attention !

le journal → les journaux

L'ARTICLE

L'ARTICLE INDÉFINI

	Singulier	Pluriel
Masculin	**un** studio	**des** studios
Féminin	**une** personne	**des** personnes

Attention !

je suis ingénieur.
je suis secrétaire.

L' ARTICLE DÉFINI

	Singulier	Pluriel
Masculin	le fabricant	les fabricants
	l'ingénieur	les ingénieurs
Féminin	la maison	les maisons
	l'usine	les usines

Attention !

l' devant voyelle ou *h* muet

À + article défini

à + le → **au**	Paul téléphone **au** chef des achats.
à + **la**	Il rentre **à la** maison.
à + **l'**	Il va **à l'**usine.
à + les → **aux**	Le directeur parle **aux** employés.

L' ADJECTIF POSSESSIF

Masculin

mon bureau
ton directeur
son appartement
notre médecin
votre restaurant
leur ami

Féminin

ma voiture
ta nationalité
sa carte d'identité
notre profession
votre usine
leur entreprise

Attention !
mon amie
ton usine
son assurance

Devant un nom féminin commençant par une voyelle ou *h* muet

ma → mon, **ta** → ton, **sa** → son

Pluriel

mes chèques
tes livres
ses fonctions

nos vacances
vos billets
leurs clefs

L'ADJECTIF DÉMONSTRATIF

	Singulier	*Pluriel*
Masculin	ce client	ces échantillons
	cet appartement	
Féminin	cette dame	ces usines

Attention !

cet **devant un nom masculin commençant par une voyelle ou *h***

L'ADJECTIF QUALIFICATIF

Formes régulières

	Singulier	*Pluriel*
Masculin	enchanté	enchantés
	petit	petits
Féminin	enchantée	enchantées
	petite	petites

Formes irrégulières

	Singulier	*Pluriel*
Masculin	beau / bel	beaux
	blanc	blancs
	heureux	heureux
	nouveau / nouvel	nouveaux
	premier	premiers
Féminin	belle	belles
	blanche	blanches
	heureuse	heureuses
	nouvelle	nouvelles
	première	premières

LE COMPARATIF

Formation : **plus** + adjectif
moins + adjectif
aussi + adjectif

avantageux → **plus** avantageux
→ **moins** avantageux
→ **aussi** avantageux

Forme irrégulière :

bon → **meilleur**

LE SUPERLATIF

Formation: **le/la/les plus** + adjectif
le/la/les moins + adjectif

célèbre → le musée **le plus** célèbre du monde
cher → la robe **la moins** chère du magasin

Forme irrégulière :

bon → **le/la meilleur(e)**

LE PRONOM

LE PRONOM PERSONNEL SUJET

Singulier	*Pluriel*
je	nous
tu	vous
il	ils
elle	elles
on	

LE PRONOM TONIQUE

Singulier	*Pluriel*
moi	nous
toi	vous
lui	ils
elle	elles

exemple : Moi, je travaille chez ITEX.
Comme lui, j'aime la musique.

LES PRONOMS COMPLÉMENTS D'OBJET DIRECT

le → Le directeur, je **le** connais.
la → La secrétaire, je **la** connais.
les → Les employés, je **les** connais.
en → Voulez-vous du pain ? Oui, j'**en** veux.

LE PRONOM DÉMONSTRATIF

Formes régulières

	Singulier	*Pluriel*
Masculin	Celui-ci	Ceux-ci
	Celui-là	Ceux-là
Féminin	Celle-ci	Celles-ci
	Celle-là	Celles-là
Neutre	Ceci	Cela

L'INTERROGATION

Qui → **Qui** êtes-vous ?
Quel → **Quel** intérêt ? → **Quels** intérêts ?
Quelle → **Quelle** référence ? → **Quelles** références ?
Où → **Où** est l'usine ?
Combien → Je vous dois **combien** ?
Comment → **Comment** vont les affaires ?
Pourquoi → **Pourquoi** voulez-vous travailler avec nous ?
Quand → **Quand** vient-il ?
Qu'est-ce que → **Qu'est-ce que** vous prenez ?
Est-ce que → **Est-ce que** vous avez une chambre ?

LA NÉGATION

ne ... pas → Je **ne** suis **pas** ingénieur.
ne ... plus → Il **ne** veut **plus** rien.
ne ... ni ... ni → Nous **n'**avons **ni** vin **ni** cigarettes.
ne ... rien → Elle **n'**a **rien** à déclarer.
ne ... jamais → Elle **ne** mange **jamais** de viande.
ne ... aucun → Vous **ne** prenez **aucun** médicament ?
ne ... personne → Tu **n'**aimes **personne**.

L'EXPRESSION DU LIEU

À	Claire va **à** Angers
	au bureau
	à la gare.
De	Le chauffeur arrive **de** Suisse
	de l'entrepôt
	de la station-service.
Dans	La serveuse travaille **dans** un restaurant.
Y	À Paris, on **y** va ?
En	Ils viennent d'arriver **en** France.
Jusqu'à	Allez **jusqu'à** Opéra
	au bout du couloir
	à la gare.

L'EXPRESSION DU BUT

Pour   Elle envoie une lettre **pour** avoir un travail.

L'EXPRESSION DU TEMPS

	Hier, Aujourd'hui, Demain
	le 16 juillet, **les** 23 et 24 avril
En	**en** hiver
	en janvier
À	**au** printemps
	au mois de mars
	à 21 heures

L'EXPRESSION DE LA DURÉE

Depuis	J'apprends le français **depuis** six mois.
Pendant	J'ai appris le français pendant six mois.
Jusqu'à	Il reste à Paris jusqu'à mardi
	jusqu'**au** mois de juin.
De ... à ...	Nous séjournons à Angers **du** 16 **au** 21 décembre.
À partir de	Elle réserve une chambre à **partir du** 16 décembre.

■ Saluer
Bonjour, Monsieur/Madame
Heureux de faire votre
connaissance
Enchanté(e)
Salut!
Ça va ?

■ Prendre congé
Au revoir
À la prochaine
À tout à l'heure
À un de ces jours
À bientôt
À la semaine prochaine
À demain

■ Demander/donner des informations personnelles
Quel est votre nom ?
C'est à quel nom ?
C'est de la part de qui ?

Je suis…
Je m'appelle…
Au nom de…
Je suis marié/célibataire
Je viens d'*Espagne*
Je suis *allemande*
Je suis *chef des ventes*
Je fais un travail de…
Je travaille à/chez/pour ...
J'ai une formation de…

■ Donner des informations personnelles sur son état physique
J'ai un peu de fièvre depuis une
semaine/quelques jours/hier…
J'ai mal à la tête/à la gorge/au
bras/au ventre…

■ Remercier/répondre aux remerciements
Merci
Merci à vous

Merci infiniment
Je vous en prie
Ce n'est rien

■ Souhaiter quelque chose à quelqu'un
Bonne journée
Bonne soirée
Bonne nuit
Bon séjour
Bon week-end
Bonne route
Bon voyage

■ Faire un compliment
Ça vous va très bien

■ Demander quelque chose à quelqu'un…
Je voudrais/nous voudrions…

…au restaurant
Le client/la cliente :
Je voudrais réserver une table
pour deux personnes
Je prends…
Je veux…
Apportez *du vin*
Pour moi, *un steack au poivre*

le serveur/la serveuse :
Pour combien de personnes ?
Qu'est-ce que vous prenez ?
Vous avez choisi ?

…à l'hôtel
Est-ce qu'il y a un restaurant/un
bar/un ascenseur ?
C'est une chambre avec salle
de bains/douche/W.-C. ?
Vous ne servez pas le petit
déjeuner ?

…dans un magasin
le client/la cliente :
Je cherche…
Je peux l'essayer ?

Le vendeur/la vendeuse :
Est-ce que je peux vous aider ?
Vous faites du combien ?
Vous voulez l'essayer ?

…à la banque
Quel est le taux de change,
aujourd'hui ?
Je voudrais changer *mille*
francs
Je veux changer des chèques
de voyage
Je voudrais ouvrir un compte…
Je voudrais déposer…

…à la station service
Le plein, s'il vous plaît

■ Demander…

…un rendez-vous
Je voudrais prendre rendez-vous

…son avis à quelqu'un
Vous pensez que… ?
Ça vous dit ?
Ça vous ira ?

…une explication
Ça marche comment ?
Ça s'écrit comment ?

…de faire attention
Faites attention

…de patienter
Un instant

■ Demander à quelqu'un de faire quelque chose
Voulez-vous… ?
Seriez-vous disposé à… ?
Verrez-vous un inconvénient
à… ?

■ Dire que c'est possible/impossible
C'est possible
C'est impossible

■ Exprimer le regret
Je suis désolé(e)

■ Offrir de l'aide
Qu'est-ce que je peux faire pour vous ?
Vous désirez ?
Est-ce que je peux vous aider ?
Qu'est-ce que vous cherchez ?

■ Parler au téléphone
Allô, oui?
J'écoute
Ici… de la société…
C'est bien *l'Hôtel d'Anjou* ?
Pourrais-je parler à… s'il vous plaît ?
C'est de la part de qui ?
Puis-je laisser un message ?
Quand est-ce que je peux le joindre ?
Puis-je parler à son adjoint ?
Je rappellerai
Je téléphone de…

■ Attirer l'attention de quelqu'un
Pardon, Monsieur/Madame
Excusez-moi…
Madame/Monsieur, s'il vous plaît

■ Demander/donner une direction
Pour aller à… s'il vous plaît ?
Pourriez-vous me dire où nous trouverons… ?

C'est là-bas
C'est en face
À côté de…
Prenez la direction…
Il faut prendre la direction…
Il faut aller…
Il faut suivre les panneaux
En sortant d'ici
Pour aller…
Tournez à gauche, à droite
Allez au bout de cette rue
Là-bas, juste après l'escalier
Au premier étage

■ Demander une information
Pouvez-vous me dire…?
Qu'est-ce qui s'est passé ?

■ Demander/donner un prix
Ça fait combien ?
Je vous dois combien ?
Ça coûte cher ?

Ça fait … francs

■ S'informer sur la durée/indiquer une durée
Vous en avez pour combien de temps ?

Il y en a toutes les quinze minutes
À partir du /de…

■ S'informer sur l'heure
Quelle heure est-il ?
À quelle heure est le petit déjeuner ?
Le train est à quelle heure ?

■ Dire ce qu'on aime/ce qu'on n'aime pas
C'est bien
J'aime assez
J'aime bien
J'aime beaucoup
J'adore
Je préfère
Ça me plaît énormément
Ça me plaira énormément
Ça me plairait énormément
Ça me dit
Ça me dirait
Le *rose/bleu/blanc* me plaît beaucoup
Vous avez *une jolie jupe…*

C'est horrible
Je n'aime pas
Je déteste
Ça ne me plaît pas

■ Dire son accord/son désaccord
Oui, bien sûr
Très bien

D'accord
Excellent
Ça ira

accord atténué
Pourquoi pas
Comme vous voulez
Ce n'est pas vrai

■ Exprimer une hésitation
Ça dépend

■ Exprimer un besoin
J'ai besoin de…

■ Faire des suggestions
Je vous conseille…
Je vous propose…
Si on allait *à Paris* ?
Ça vous convient ?
Ça vous dit ?
Ça vous ira ?
N'est-ce pas ?

■ Comparer et opposer
Ce n'est pas tout à fait pareil

■ Demander ce qui va/ce qui ne va pas
Qu'est-ce que vous avez ?
Ça va ?

■ Conclure un arrangement
C'est noté
Tout est arrangé
Tout va bien

■ Donner des instructions
Prenez votre temps
Renseignez-vous
Passez à la caisse
Restez-là

■ Dire son intérêt
Ce sera très intéressant

■ Décrire
Celui-ci est *petit/cher/grand/beau/confortable*
Pas trop *grand/petit/cher*

LEXIQUE

f. : féminin
m. : masculin
p. : pluriel

adj. : adjectif
adj. indéf. : adjectif indéfini
adj. inv. : adjectif invariable

adv. : adverbe
loc. : locution
n. : nom
pr. indéf. : pronom indéfini
prép. : préposition
pron. : pronom
v. : verbe

L'index répertorie les mots contenus dans les rubriques *Vocabulaire* de chaque unité. Pour chaque mot, un numéro renvoie à l'unité où celui-ci apparaît pour la première fois. La traduction proposée est donc celle de l'acception de ce mot dans le contexte de son premier emploi.

A

1	à (prép.)	at	a	in, zu	en	σε (στο Ανζέ)
13	à bientôt (loc.)	see you soon	a presto	bis bald	hasta pronto	εις το επανειδείν
11	à cause de (loc.)	because of	a causa di	wegen	a causa de	εξ αιτίας
6	à côté (loc.)	next door	al lato	daneben	al lado de	δίπλα
14	à l'avance (loc.)	in advance	in anticipo	im voraus	temprano	νωρίτερα
8	à l'étranger	abroad	all'estero	im Ausland	en el extranjero	στο εξωτερικό
7	à point (loc.)	well done	(cotto/a) a puntino	durchgebraten	en su punto	καλοψημένος/η/ο
11	à l'unité	per unit	all'unità	pro Stück	la unidad	μεμονωμένα
12	abîmé, e (adj.)	damaged	danneggiato/a	einen leichten Schaden haben	estropeado/a	χαλασμένος/η/ο
13	absent, e (adj.)	absent	assente	abwesend	ausente	απών
10	accès (n. m.)	entry	accesso	der Zugang	acceso	προσπέλαση
12	accident (n. m.)	accident	incidente	der Unfall	accidente	ατύχημα
13	accorder (v.)	to grant	accordare	gewähren	conceder	εκχωρώ
14	accusé de réception (n. m.)	acknowledgement of receipt	ricevuta	die Empfangs bestätigung	acuse de recibo	απόδειξη παραλαβής
9	achat (n. m.)	purchase	acquisto	der Kauf	compra	αγορά
5	acheter (v.)	to buy	acquistare	kaufen	comprar	αγοράζω
14	activité (n. f.)	activity, job	attività	die Aktivität	actividad profesional	απασχόληση
14	actuel, le (adj.)	current	attuale	aktuell	actual	τρέχων/ουσα/ον
14	actuellement (adv.)	currently	attualmente	aktuell	actualmente	επί τού παρόντος
7	addition (n. f.)	bill	conto	die Rechnung	cuenta	λογαριασμός
8	adresse (n. f.)	address	indirizzo	die Adresse	dirección	διεύθυνση
5	aéroport (n. m.)	airport	aeroporto	der Flughafen	aeropuerto	αεροδρόμιο
13	affaires (n. f. p.)	business	affari	die Geschäfte	negocios	υποθέσεις
11	affiché, e (adj.)	posted up	affisso/a	angeschlagen	marcado/a	αναρτημένος/η/ο
9	afin de (loc.)	in order to	allo scopo di	damit	para	προκειμένου
5	agence de voyages (n. f.)	travel agency	agenzia di viaggi	das Reisebüro	agencia de viajes	ταξιδιωτικό γραφείο
6	agence immobilière (n. f.)	estate agency	agenzia immobiliare	das Maklerbüro	agencia inmobiliaria	μεσιτικό γραφείο
6	agent immobilier (n. m.)	estate agent	agente immobiliare	der Makler	agente inmobiliario	μεσίτης
14	agrément (n. m.)	approval	consenso	die Zustimmung	beneplácito	συγκατάβαση
9	aider (v.)	to help	aiutare	helfen	ayudar	βοηθώ
7	aimer (v.)	to like	amare/piacere	gern haben, lieben	gustar	αρέσω
2	allemand (n. m.)	German	tedesco	der Deutsche	alemán	γερμανικά
1	allemand, e (adj.)	German	tedesco/a	deutsch	alemán/a	Γερμανός/ίδα - γερμανικός/ή/ό
6	aller (v.)	to go	andare	gehen, fahren	ir	πηγαίνω (aller passer : θα περάσω)
5	aller - retour (n. m.)	return ticket	andata-ritorno	die Rückfahrkarte	ida y vuelta	εισητήριο αλέ-ρετουρ (με επιστροφή)
5	aller simple (n. m.)	single ticket	sola andata	die Fahrkarte	ida	απλό εισητήριο (χωρίς επιστροφή)
13	alors (adv.)	well, then	allora	also	entonces	λοιπόν
14	ambulance (n. f.)	ambulance	ambulanza	der Krankenwagen	ambulancia	ασθενοφόρο
1	américain, e (adj.)	American	americano/a	amerikanisch	americano/a	Αμερικανός/ίδα - αμερικανικός/ή/ό
7	ami, e (n. m., f.)	friend	amico/a	der Freund, in	amigo/a	φίλος/η
7	amoureusement (adv.)	lovingly	amorevolmente	liebevoll	amorosamente	με αγάπη

2	anglais (n. m.)	English	inglese	der Engländer	inglés	αγγλικά
2	anglais, e (adj.)	English	inglese	englisch	inglés/a	Άγγλος/ίδα - αγγλικός/ή/ό
4	anniversaire (n. m.)	birthday	compleanno	der Geburtstag	cumpleaños	γενέθλια
15	annonce (n. f.)	advertisement	annuncio	die Anzeige	anuncio	αγγελία
15	annoncer (v.)	to inform, announce	annunciare	mitteilen	comunicar	αναγγέλω
12	antibiotique (n. m.)	antibiotic	antibiotico	die Antibiotika	antibiótico	αντιβιοτικό
14	an (n. m.)	year	anno	das Jahr	año	χρόνος
4	août (n. m.)	August	agosto	der August	agosto	Αύγουστος
6	appartement (n. m.)	flat	appartamento	das Appartement	apartamento	διαμέρισμα
12	appeler (v.)	to call	chiamare	anrufen	llamar	καλώ
7	apporter (v.)	to bring	portare	bringen	traer	φέρνω
5	apprendre (v.)	to learn	imparare	lernen	estudiar	μαθαίνω
15	approfondi, e (adj.)	in depth, detailed	approfondito/a	eingehend	amplio/a	σε βάθος
4	après-midi (n. m.)	afternoon	pomeriggio	der Nachmittag	tarde	απόγευμα
9	après (prép.)	after	dopo	nach	después de	μετά
8	argent (n. m.)	money	denaro	das Geld	dinero	χρήματα
10	arrêt (n. m.)	stop, stopping	sosta	das Halten	parada	στάθμευση
4	arrivée (n. f.)	arrival	arrivo	die Ankunft	llegada	άφιξη
1	arriver (v.)	to arrive	arrivare	ankommen	llegar	φθάνω
9	article (n. m.)	item, article	articolo	der Artikel	artículo	είδος
6	ascenseur (n. m.)	lift	ascensore	der Aufzug	ascensor	ανελκυστήρας
6	assez (adv.)	quite	abbastanza	genug	bastante	αρκετά
2	assistant, e (n. m., f.)	assistant	assistente	der Mitarbeiter , in	asistente	σύμβουλος
10	assurance (n. f.)	insurance	assicurazione	die Versicherung	seguro	ασφάλιση
15	attendre (v.)	to wait, expect	attendere	erwarten	esperar	περιμένω
9	attente (n. f.)	wait ("looking forward to hearing from you")	attesa	die Erwartung	espera	αναμονή
15	attention (n.f.)	attention	attenzione	die Aufmerksamkeit	atención	προσοχή
15	attirer (v.) l'attention	to draw (attention)	attirare	aufmerksam machen	llamar la atención	επιστώ
7	auberge (n. f.)	inn	locanda	das Gasthaus	hostal	ξενώνας
14	aucun, e (adj. indéf.)	no	nessuno/a	kein	ningún/a	κανένας
4	aujourd'hui (adv.)	today	oggi	heute	hoy	σήμερα
2	aussi (adv.)	also	anche	auch	también	επίσης
11	autobus (n. m.)	bus	autobus	der Bus	autobús	λεωφορείο
8	automatique (adj.)	automatic	automatico/a	automatisch	automático/a	αυτόματος/η/ο
8	automatiquement (adv.)	automatically	automaticamente	automatisch	automáticamente	αυτόματα
4	automne (n. m.)	autumn	autunno	der Herbst	otoño	φθινόπωρο
10	automobiliste (n. m./f.)	motorist	automobilista	der Autofahrer, in	automovilista	οδηγός αυτοκινήτου
3	autre (pron.)	other	altro/a	andere	el/la otro/a	άλλος/η/ο
10	autre (adj. indéf.)	other	altro/a	andere	otro/a	κάποιος/α/ο
12	avaler (v.)	to swallow	inghiottire	schlucken	tragar	καταπίνω
12	avant-bras (n. m.)	forearm	avambraccio	der Unterarm	antebrazo	βραχίονας
10	avantageux, se (adj.)	attractive	vantaggioso/a	vorteilhaft	ventajoso/a	προνομοιούχοσα/ο
1	avec (prép.)	with	con	mit	con	με
9	avenue (n. f.)	avenue	viale	die Avenue , die Straße	avenida	λεωφόρος
3	avion (n. m.)	aeroplane	aereo	das Flugzeug	avión	αεροπλάνο
1	avoir (v.)	to have	avere	haben	tener	έχω
4	avril (n. m.)	April	aprile	der April	abril	Απρίλιος

B

11	bagage (n. m.)	luggage	bagaglio	das Gepäckstück	equipaje	αποσκευή
6	balcon (n. m.)	balcony	balcone	der Balkon	balcón	μπαλκόνι
5	banlieue (n. f.)	suburbs	periferia	der Vorort	periferia	προάστειο
8	banque (n. f.)	bank	banca	die Bank	banco	Τράπεζα
6	bar (n. m.)	bar	bar	die Bar	bar	μπαρ
6	beau, elle (adj.)	attractive, beautiful	bello/a	schön	bonito/a	ωραίος/α/ο
7	beaucoup (adv.)	a lot	molto	viel	mucho	πολύ
9	beige (adj.)	beige	beige	beige	beige	μπεζ
2	belge (adj.)	Belgian	belga	belgisch	belga	Βέλγος/ίδα - βελγικός/ή/ό

8	bénéficier (v.)	to benefit (from)	beneficiare	profitieren	beneficiar	επωφελούμαι
10	besoin (n. m.) *avoir~*	need	bisogno	brauchen	necesitar	ανάγκη
5	billet (*de banque*) (n. m.)	(bank)note	banconota	der Geldschein	billete	νόμισμα
5	billet (*de train/ d'avion*) (n. m.)	(train/plane) ticket	biglietto	die Fahrkarte	billete	εισιτήριο
7	blanc, che (adj.)	white	bianco/a	weiß	blanco/a	λευκός/ή/ό
12	blessé, e (adj.)	injured	ferito/a	verletzt	herido/a	πληγωμένος/η/ο
9	bleu, e (adj.)	blue	blu	blau	azul	μπλε
7	boisson (n. f.)	drink	bevanda	das Getränk	bebida	ποτό
11	bon marché (adj. inv.)	cheap	a buon mercato	billig	barato/a	φθηνός/ή/ό
9	bon, ne (adj.)	right, good	giusto/a	gut	bueno/a	καλός/ή/ό
12	bouche (n. f.)	mouth	bocca	der Mund	boca	στόμα
12	bouger (v.)	to move	muoversi	sich bewegen	mover	κινώ
6	boutique (n. f.)	shop	bottega	das Geschäft	tienda	μαγαζί
9	bout (n. m.)	end	fondo	das Ende	final	άκρη
12	bras (n. m.)	arm	braccio	der Arm	brazo	χέρι
2	brésilien, ne (adj.)	Brazilian	brasiliano/a	brasilianisch	brasileño/a	Βραζιλιάνος/α - βραζιλιάνικος/η/ο
9	brochure (n. f.)	brochure	opuscolo	die Broschüre	prospecto	μπροσούρα
15	bruit (n. m.)	noise	rumore	der Lärm	ruido	θόρυβος
9	brun, e (adj.)	brown	bruno/a	dunkel (haarig)	moreno/a	καστανός/ή/ό
13	bureau (n. m.)	office	ufficio	das Büro	despacho	γραφείο
5	bus (n. m.)	bus	bus	der Bus	bus	λεωφορείο

C

9	cadeau (n. m.)	present, gift	regalo	das Geschenk	regalo	δώρο
7	café (n. m.)	coffee	caffè	der Kaffee	café	καφές
7	café (n. m.)	café	caffè	das Café	cafetería	καφενείο
8	caisse (n. f.)	cashier's desk	cassa	die Kasse	caja	ταμείο
10	camion (n. m.)	lorry	camion	der LKW	camión	φορτηγό αυτοκίνητο
2	canadien, ne (adj.)	Canadian	canadese	kanadisch	canadiense	Καναδός/έζα - καναδέζικος/η/ο
6	canapé (n. m.)	sofa	divano	das Sofa	sofá	καναπές
2	candidat, e (n. m., f.)	applicant, candidate	candidato/a	der Kandidat, in	candidato/a	υποψήφιος/α/ο
15	candidature (n. f.)	application	candidatura	die Bewerbung	candidatura	υποψηφιότητα
7	carafe (n. f.)	carafe	caraffa	die Karaffe	botella	καράφα
10	caravane (n. f.)	caravan	roulotte	der Wohnwagen	caravana	τροχόσπιτο
5	carnet (n. m.)	book (of tickets)	blocchetto (di biglietti)	das Heftchen	taco de 10 billetes de metro	δεσμίδα εισιτηρίων
7	carte (n. f.)	menu	menù	die (Speise)karte	carta	κατάλογος
8	carte d'identité (n. f.)	identity card	carta d'identità	der Personalausweis	carnet de identidad	δελτίο ταυτότητας
6	carte de crédit (n. f.)	credit card	carta di credito	die Kreditkarte	tarjeta de crédito	πιστωτική κάρτα
10	carte grise (n. f.)	registration papers	libretto di circolazione	der Kfz-Schein	documentación del coche	άδεια κυκλοφορίας
12	casser (v.)	to break	rompere	brechen	romper	σπάζω
9	cassette (n. f.)	cassette	cassetta	die Kassette	cassette	κασέτα
13	catalogue (n. m.)	catalogue	catalogo	der Katalog	catálogo	κατάλογος
10	caution (n. f.)	guarantee	cauzione	die Kaution	fianza	εγγύηση
2	célibataire (adj.)	single	celibe/nubile	ledig	soltero/a	εργένης
9	centre-ville (n. m.)	town centre	centro	das Stadtzentrum	centro ciudad	κέντρο της πόλης
7	cerise (n. f.)	cherry	ciliegia	die Kirsche	cereza	κεράσι
10	certain, e (adj. indéf.)	certain	certo/a	einige	algún/a	κάποιος/α/ο
9	certainement (adv.)	of course, certainly	certamente	sicherlich	desde luego	αναμφίβολα
10	certificat (n. m.)	certificate	certificato	die Bestätigung	póliza	βεβαίωση
14	chacun, e (pr. indéf.)	each	ciascuno/a	jeder	cada uno/a	καθένας/καθεμια/καθένα
6	chaise (n. f.)	chair	sedia	der Stuhl	silla	καρέκλα
3	chambre (n. f.)	room	stanza	das Zimmer	habitación	δωμάτιο
8	change (n. m.)	exchange	cambio	der Wechsel	cambio	συνάλλαγμα
4	changement (n.m.)	change	cambiamento	die Änderung	cambio	αλλαγή

	French	English	Italian	German	Spanish	Greek
8	changer (v.)	to change	cambiare	wechseln	cambiar	εξαργυρώνω
10	changer (v.)	to change	cambiare	wechseln	cambiar	αλλάζω
9	chapeau (n. m.)	hat	cappello	der Hut	sombrero	καπέλο
10	chargement (n. m.)	load	carico	die Ladung	carga	φορτίο
6	charges (n. f. p.)	maintenance charges	oneri	die Nebenkosten	gastos de comunidad	κοινόχρηστα
6	charmant, e (adj.)	charming	incantevole	charmant	bonito/a	γοητευτικός/ή/ό
9	château (n. m.)	château, castle	castello	das Schloß	castillo	παλάτι
5	chauffeur (n. m.)	driver	conducente	der Chauffeur	taxista	οδηγός
10	chaussée (n. f.)	road	carreggiata	die Fahrbahn	calzada	οδόστρωμα
9	chaussure (n. f.)	shoe	scarpa	der Schuh	zapato	παπούτσι
13	chef des achats (n. m.)	head buyer	direttore degli acquisti	der Einkaufsleiter	responsable de compras	υπεύθυνος αγορών
2	chef de production (n. m.)	production manager	direttore della produzione	der Produktionsleiter	encargado de la producción	υπεύθυνος παραγωγής
1	chef de publicité (n. m.)	head of advertising	direttore della pubblicità	der Werbeleiter	responsable de la publicidad	υπεύθυνος διαφήμισης
1	chef des ventes (n. m.)	sales manager	direttore delle vendite	der Vertriebsleiter	jefe de ventas	υπεύθυνος πωλήσεων
1	chef du personnel (n. m.)	personnel manager	direttore del personale	der Personalchef	encargado de personal	υπεύθυνος προσωπικού
9	chemise (n. f.)	shirt	camicia	das Hemd	camisa	πουκάμισο
9	chemisier (n. m.)	blouse	camicetta	die Bluse	camisa	πουκαμίσα
8	chèque (n. m.)	cheque	assegno	der Scheck	cheque	επιταγή
8	chèque de voyage (n. m.)	traveller's cheque	assegno turistico	der Reisescheck	cheque de viaje	ταξιδιωτική επιταγή
8	chéquier (n. m.)	cheque book	libretto d'assegni	das Scheckheft	talonario	μπλοκ επιταγών
6	cher, ère (adj.)	expensive	caro/a	teuer	caro/a	ακριβός/ή/ό
2	chercher (v.)	to look for	cercare	suchen	buscar	ψάχνω
12	cheville (n. f.)	ankle	caviglia	der Knöchel	tobillo	αστράγαλος
1	chez (prép.)	at	presso	bei, zu	en	στου/στης
12	choc (n. m.)	shock	choc	der Schock	shock	σοκ
7	choisir (v.)	to choose	scegliere	wählen	elegir	διαλέγω
14	ci-joint, e (loc.)	enclosed	accluso/a	anbei	adjunto	συνημμένος/η/ο
9	cigare (n. m.)	cigar	sigaro	die Zigarre	puro	πούρο
11	cinéma (n. m.)	cinema	cinema	das Kino	cine	κινηματογράφος
10	circulation (n. f.)	traffic	circolazione	der Verkehr	circulación	κυκλοφορία
5	circuler (v.)	to travel	circolare	fahren	circular	κυκλοφορώ
6	clé/clef (n. f.)	key	chiave	der Schlüssel	llave	κλειδί
3	client, e (n. m., f.)	customer	cliente	der Kunde, in	cliente	πελάτης
13	clientèle (n. f.)	clientèle	clientela	die Kundschaft	clientela	πελατεία
7	cocktail (n. m.)	cocktail	cocktail	der Cocktail	cóctel	κοκτέιλ
8	code (n. m.)	code	numero di codice	die Kodenummer	número	κωδικός
7	coin (n. m.)	corner	angolo	die Ecke	esquina	γωνία
9	collant (n. m.)	tights	collant	die Strumpfhose	media	καλσόν
5	collège (n. m.)	secondary school	scuola secondaria	der Realschule	colegio	γυμνάσιο
3	collègue (n. m./f.)	colleague	collega	die Kollege, in	compañero/a	συνάδελφος
7	commande (n. f.)	order	ordinazione	die Bestellung	pedido	παραγγελία
8	commander (v.)	to order	ordinare	bestellen	pedir	παραγγέλω
9	comme (conj.)	in the way of, like	come	als	qué	σαν
12	comment (conj.)	how	come	wie	cómo	πώς
9	commerçant, e (adj.)	shopping	commerciante	Geschäfts...	comercial	έμπορος
14	commercial, e (adj.)	sales	commerciale	Handels...	comercial	εμπορικός/ή/ό
14	comme suite à (loc.)	following	facendo seguito	in Antwort auf	seguidamente	κατόπιν
3	complet, ète (adj.)	full	completo/a	voll, komplett	completo/a	πλήρης/ες
9	compléter (v.)	to complete	completare	ausfüllen	completar	συμπληρώνω
8	composer (v.)	to type in	comporre	wählen	hacer	συνθέτω
12	comprimé (n. m.)	pill	compressa	die Tablette	pastilla	χάπι
6	compris, e (adj.)	included	incluso/a	inbegriffen	incluido/a	συμπεριλαμβανό-μενος/η/ο
1	comptable (n. m./f.)	accountant	contabile	der Buchhalter, in	contable	λογιστής
8	compte (n. m.)	account	conto	das Konto	cuenta	λογαριασμός
14	condition (n. f.)	condition, term	condizione	die Bedingung	condición	όρος
12	conduire (v.)	to drive	condurre	fahren	conducir	οδηγώ

	French	English	Italian	German	Spanish	Greek
15	conférence (n. f.)	conference	conferenza	die Konferenz	conferencia	διάλεξη
8	confidentiel, le (adj.)	confidential	confidenziale	vertraulich	confidencial	εμπιστευτικός/ή/ό
3	confirmer (v.)	to confirm	confermare	bestätigen	confirmar	επικυρώνω
6	confortable (adj.)	comfortable	confortevole	bequem	confortable	άνετος/η/ο
14	congés payés (n. m. p.)	paid holidays	congedi retribuiti	der Urlaub	vacaciones pagadas	άδεια μετ' αποδοχών
5	connaissance (n. f.)	knowledge	conoscenza	die Kenntnis	conocimiento	γνωριμία
9	connaître (v.)	to know	conoscere	kennen	conocer	γνωρίζω
7	connu, e (adj.)	well-known	conosciuto/a	bekannt	conocido/a	φημισμένος/η/ο
12	consultation (n. f.)	consultation	consultazione	die Sprechstunde	consulta	συμβουλή
13	contacter (v.)	to get in touch with	contattare	kontaktieren	contactar	έρχομαι σε επαφή
9	continuer (v.)	to keep going (straight ahead)	continuare	weiterfahren, gehen	seguir	συνεχίζω (ευθεία)
14	contrat (n. m.)	contract	contratto	der Vertrag	contrato	συμβόλαιο
10	contrôler (v.)	to check, examine	controllare	kontrollieren	revisar	ελέγχω
15	convenir (v.)	to agree on	fissare	abmachen	acordar	ταιριάζω
14	copie (n. f.)	copy	copia	die Kopie	copia	αντίγραφο
11	correspondance (n. f.)	connection	corrispondenza	der Anschluß	cambio	ανταπόκριση
12	coude (n. m.)	elbow	gomito	der Ellenbogen	codo	αγκώνας
9	couleur (n. f.)	colour	colore	die Farbe	color	χρώμα
5	cours (n. m.)	course, lesson	corso	der Kurs	clase	μάθημα
11	coûter (v.)	to cost	costare	kosten	costar	κοστίζω
7	crème (n. f.)	cream	panna	die Creme	nata	κρέμα
7	crevette (n. f.)	prawn, shrimp	gamberetto	die Garnele	gamba	γαρίδα
7	croissant (n. m.)	croissant	croissant	das Croissant	croissant	κρουασάν
12	croquer (v.)	to chew	masticare	zerbeißen	comer	μασάω
7	cuisine (n. f.)	cuisine	cucina	die Küche	cocina	κουζίνα
7	cuisiner (v.)	to cook	cucinare	kochen	guisar	μαγειρεύω
7	cuit, e (adj.)	well done	cotto/a	gar, gut durch	hecho/a	ψητός/ή/ό - ψημένος/η/ο
12	cycliste (n. m./f.)	cyclist	ciclista	der Radfahrer	ciclista	ποδηλάτης

D

	French	English	Italian	German	Spanish	Greek
11	d'abord (loc.)	first	prima di tutto	zuerst	primero	κατ' αρχάς
2	danois, e (adj.)	Danish	danese	dänisch	danés/a	Δανός/έζα - δανέζικος/η/ο
2	dans (prép.)	in	in	in	en	μέσα
4	date (n. f.)	date	data	das Datum	fecha	ημερομηνία
4	de (prép.)	of	di/da	von	de	τού - από
14	de temps en temps (loc.)	from time to time	di tanto in tanto	manchmal	de vez en cuando	από καιρό σε καιρό
8	débiter (v.)	to debit	addebitare	belasten	adeudar	χρεώνω
4	décembre (n. m.)	December	dicembre	der Dezember	diciembre	Δεκέμβριος
7	découvrir (v.)	to discover	scoprire	entdecken	descubrir	ανακαλύπτω
6	déjeuner (n. m.)	lunch	pranzo	das Mittagessen	comida	γεύμα
4	demain (adv.)	tomorrow	domani	morgen	mañana	αύριο
9	demander (v.)	to ask for	chiedere	fragen, bitten	pedir	ζητώ
6	déplacement (n. m.) être en ~	(business) trip	trasferta	die Reise	viaje de negocios	επίσκεψη
12	déplacer (v.)	to move	spostare	verschieben, -rücken	mover	μετακινώ
8	déposer (v.)	to deposit	depositare	einzahlen	ingresar	καταθέτω
5	depuis (prép.)	for	da	seit	desde hace	εδώ και
11	dernier, ère (adj.)	last	scorso/a	letzte	último/a	τελευταίος/α/ο
8	désiré, e (adj.)	desired	desiderato/a	gewünscht	deseado	επιθυμητός/ή/ό
8	désirer (v.)	to want	desiderare	wünschen	desear	επιθυμώ
10	devoir (v.)	to be obliged, must	dovere	müsen, sollen	tener que	οφείλω
4	dimanche (n. m.)	Sunday	domenica	der Sonntag	domingo	Κυριακή
6	dîner (n. m.)	dinner	cena	des Abendessen	cena	δείπνο
9	direct, e (adj.)	direct	diretto/a	direkt	directo/a	άμεσος/η/ο
8	directement (adv.)	directly	direttamente	direkt	directamente	αμέσως
1	directeur (n. m.) (fém. : directrice)	manager (manageress)	direttore (direttrice)	der Direktor (die Direktorin)	director (directora)	διευθυντής (διευθύντρια)
1	directeur-général (n. m.)	general manager	direttore generale	der Generaldirektor	director general	γενικός διευθυντής

5	direction (n. f.)	direction	direzione	die Direktion	dirección	διεύθυνση
14	disponible (adj.)	free, available	disponibile	abkömmlich	libre	διαθέσιμος/η/ο
14	disposé, e (adj.)	disposed, willing	disposto/a	bereit sein	dispuesto/a	διατεθειμένος/η/ο
9	disque compact (n. m.)	compact disc	compact disc	CD Schallplatte	disco compacto	σι-ντί (C.D.)
8	distributeur (n. m.)	cash dispenser	distributore	der Automat	cajero	διανομέας
14	document (n. m.)	document	documento	die Unterlage	documento	έγγραφο
12	doigt (n. m.)	finger	dito	der Finger	dedo	δάχτυλο
3	donc (conj.)	so	dunque	also	así pues	λοιπόν
6	donner (v.)	to overlook	dare	gehen auf	dar a	βλέπω
10	dont (pron. rel.)	of which	di cui	dessen, deren	del/de la cual	του/της οποίου/ας
12	dos (n. m.)	back	schiena	der Rücken	espalda	πλάτη
12	dosage (n. m.)	dose	dosaggio	die Dosierung	dosificación	δοσολογία
10	douane (n. f.)	customs	dogana	der Zoll	aduana	τελωνείο
10	douanier (n. m.)	customs officer	doganiere	der Zöllner	aduanero	τελωνειακός/ή (υπάλληλος)
6	douche (n. f.)	shower	doccia	die Dusche	ducha	ντους
12	douleur (n. f.)	pain	dolore	der Schmerz	dolor	πόνος

E

7	eau (n. f.)	water	acqua	das Wasser	agua	νερό
3	écouter (v.)	to listen	ascoltare	hören	escuchar	ακούω
9	écrire (v.)	to write	scrivere	schreiben	escribir	γράφω
11	efficace (adj.)	efficient	efficiente	wirksam	eficaz	αποτελεσματικός/ή/ό
9	église (n. f.)	church	chiesa	die Kirche	iglesia	εκκλησία
14	embauche (n. f.)	hiring	assunzione	die Anstellung	contratar a alguien	πρόσληψη
15	emmener (v.)	to take	accompagnare	mitnehmen, -bringen	llevar	οδηγώ
2	emploi (n. m.)	job	impiego	die Arbeit(sstelle)	empleo	απασχόληση
4	emploi du temps (n. m.)	timetable, schedule	orario	der Stundenplan	horario	πρόγραμμα
5	employé, e (n. m./f.)	employee	impiegato/a	der Angestellte,	empleado/a	ιδιωτικός/ή υπάλληλος
13	employer (v.)	to employ	impiegare	anstellen	emplear	απασχολώ
14	employeur (n. m.)	employer	datore di lavoro	der Arbeitgeber	patrón	εργοδότης
14	engagement (n. m.)	hiring	assunzione	die Einstellung	empleo	δέσμευση
5	en (prép.)	in	in	in	en	σε
9	en face de (loc.)	opposite	di fronte a	gegenüber	enfrente de	απέναντι
13	en gros (loc.)	wholesale	all'ingrosso	en Gros	al por mayor	χονδρικά
11	en moyenne (loc.)	on average	in media	im Durchschnitt	media	κατά μέσο όρο
12	endormir (v.)	to send to sleep	addormentare	einschlafen	dormir	αποκοιμάμαι
11	endroit (n. m.)	site, place	luogo	der Ort	lugar	μέρος
2	enfant (n. m./f.)	child	bambino/a	das Kind	niño/a	παιδί
11	énormément (adv.)	enormously	enormemente	enorm	enormemente	τεράστια
11	ensemble (adv.)	together	insieme	zusammen	juntos/as	μαζί
51	entendre (v.)	to hear	sentire	hören	oír	ακούω
5	entrepôt (n. m.)	warehouse	deposito	das Lager	almacén	αποθήκη
10	entreprise (n. f.)	company	impresa	die Firma	empresa	επιχείρηση
14	entretien (n. m.)	interview	colloquio	das Gespräch	entrevista	συζήτηση
11	entre (prép.)	between	tra	zwischen	entre	μεταξύ
7	entrée (n. f.)	first course	prima portata	die Vorspeise	primer plato	ορεκτικό
9	envisager (v.)	to consider	contemplare	beabsichtigen	prever	κανονίζω
9	envoyer (v.)	to send	inviare	schicken	enviar	στέλνω
12	épaule (n. f.)	shoulder	spalla	die Schulter	hombro	ώμος
15	équipement (n. m.)	amenity	attrezzatura	die Ausstattung	equipo	εξοπλισμός
9	escalier (n. m.)	staircase, stairs	scala	die Treppe	escalera	σκάλα
9	escalier roulant (n. m.)	escalator	scala mobile	die Rolltreppe	escalera automática	κυλιόμενη σκαλα
2	espagnol, e (adj.)	Spanish	spagnolo/a	spanisch	español/a	Ισπανός/ίδα - ισπανικός/ή/ό
8	espèces (n. f. p.)	cash	contanti	das Bargeld	metálico	χρήματα
9	essayer (v.)	to try on	provare	probieren	probar	δοκιμάζω
10	essence (n. f.)	petrol	benzina	das Benzin	gasolina	βενζίνη
10	essuyer (v.)	to wipe	asciugare	abwischen	limpiar	σκουπίζω
11	est (n. m.)	east	est	der Osten	este	Ανατολή

2	et (conj.)	and	e	und	y	και
9	et cetera/etc. (loc.)	etc.	eccetera/etc.	usw	etcetera/etc.	κ.τ.λ. (και τα λοιπά)
6	étage (n. m.)	floor	piano	der Stock	piso	όροφος
11	étendu, e (adj.)	extensive	esteso/a	umfassend	vasto/a	εξαπλωμένος/η/ο
4	été (n. m.)	summer	estate	der Sommer	verano	καλοκαίρι
8	étranger (n. m.) (fém. : étrangère)	foreigner, stranger	straniero/a	der Ausländer die Ausländerin	extranjero/a	ξένος/η
1	être (v.)	to be	essere	sein	ser	είμαι
12	éviter (v.)	to avoid	evitare	vermeiden	evitar	αποφεύγω
4	exact, e (adj.)	exact	esatto/a	genau	exacto/a	ακριβής/ές
14	exercer (v.)	to exercise	esercitare	ausüben	ejercer	εξασκώ
14	expérience (n. f.)	experience	esperienza	die Erfahrung	experiencia	εμπειρία

F – G

9	fabrique (n. f.)	factory	fabbrica	die Fabrik	fábrica	βιοτεχνία
13	fabriquer (v.)	to manufacture	fabbricare	herstellen	fabricar	κατασκευάζω
15	facilité (n. f.)	facility	facilitazione	die Möglichkeit	posibilidad	δυνατότητα
15	facture (n. f.)	bill, invoice	fattura	die Rechnung	factura	λογαριασμός
3	faire (v.)	to make	fare	machen	hacer	κάνω
2	familial, e (adj.)	family	familiare	Familien...	familiar	οικογενειακός/ή/ό
2	femme (n. f.)	wife	moglie	die Ehefrau	mujer	σύζυγος
9	femme (n. f.)	woman	donna	die Frau	mujer	γυναίκα
1	femme d'affaires (n. f.)	business woman	donna d'affari	die Geschäftsfrau	mujer de negocios	επιχειρηματίας (γυναίκα)
11	fenêtre (n. f.)	window	finestrino	das Fenster	ventanilla	παράθυρο
11	fermé, e (adj.)	closed	chiuso/a	geschlossen	cerrado/a	κλειστός/ή/ό
12	fessier (n. m.)	buttock	gluteo	das Hinterteil	nalgas	πισινός/ή/ό
12	feuille de maladie (n. f.)	sickness declaration form forwarded to the Social Security	certificato di malattia	der Krankenschein	hoja de asistencias dispensadas por la Seguridad Social	δελτίο ασθενείας
4	février (n. m.)	February	febbraio	der Februar	febrero	Φεβρουάριος
6	fiche (n. f.)	slip, form	scheda	der Zettel	ficha	έντυπο
12	fièvre (n. f.)	fever	febbre	das Fieber	fiebre	πυρετός
2	fille (n. f.)	daughter	figlia	die Tochter	hija	κόρη
2	fils (n. m.)	son	figlio	der Sohn	hijo	γιός
14	fin (n. f.)	end	fine	das Ende	final	τέλος
14	fixé, e (adj.)	fixed	fissato/a	festgelegt	fijado/a	καθορισμένος/η/ο
11	fois (n. f.)	time	volta	das Mal	vez	φορά
14	fonction (n. f.)	function	funzione	die Funktion	función	λειτουργία
12	fondre (v.)	to melt	sciogliere	auflösen	diluir	λειώνω
10	formalité (n. f.)	formality	formalità	die Formalität	formalidad	διατύπωση
14	formation (n. f.)	training	formazione	die Ausbildung	formación	επιμόρφωση
14	formulaire (n. m.)	form	formulario	das Formular	formulario	έντυπο
12	fortifiant (n. m.)	fortifying	corroborante	das Stärkungsmittel	fortificante	δυναμωτικός/ή/ό
10	fouiller (v.)	to search	ispezionare	durchsuchen	registrar	ψάχνω
15	francophone (adj.)	French-speaking	francofono/a	französischsprechend	francófono/a	γαλλόφωνος/η/ο
5	franc (n. m.)	franc	franco	der Franc	franco	φράγκο
1	français, e (adj)	French	francese	französisch	francés/a	Γάλλος/ίδα - γαλλικός/ή/ό
12	freiner (v.)	to brake	frenare	bremsen	frenar	φρενάρω
2	frère (n. m.)	brother	fratello	der Bruder	hermano	αδελφός
7	fromage (n. m.)	cheese	formaggio	der Käse	queso	τυρί
14	futur, e (adj.)	future	futuro/a	zukünftig	futuro/a	μελλοντικός/ή/ό
14	gagner (v.)	to earn	guadagnare	verdienen	ganar	κερδίζω
9	gamme (n. f.)	range	gamma	die Palette	gama	γκάμα
6	garage (n. m.)	garage	garage	die Garage	cochera	γκαράζ
10	garage (n. m.)	garage	autorimessa	die Werkstatt	garaje	γκαράζ
10	garagiste (n. m.)	garage mechanic	meccanico	der Autoschlosser	mecánico	γκαραζιέρης
8	garantir (v.)	to guarantee	garantire	garantieren	garantizar	εγγυώμαι
7	garçon (de café) (n. m.)	waiter	cameriere	der Ober	camarero	γκαρσόνι

5	gare (n. f.)	station	stazione	der Bahnhof	estación	σταθμός
10	garer (v.)	to park	posteggiare	parken	aparcar	παρκάρω
12	gélule (n. f.)	capsule	pastiglia	die Kapsel	cápsula	κάψουλα
10	généralement (adv.)	generally	generalmente	im allgemeinen	generalmente	γενικά
2	gérant, e (n. m., f.)	manager	gerente	der Geschäftsführer, in	gerente	διευθύνων/ουσα
8	gérer (v.)	to manage	gestire	führen	gestionar	διαχειρίζομαι
14	gestion (n. f.)	management	gestione	die Führung	gestión	διαχείριση
10	glissant, e (adj.)	slippery	sdrucciolevole	rutschig	resbaladizo/a	γλιστερός/ή/ό
12	glisser (v.)	to skid	slittare	rutschen	resbalar	γλιστρώ
10	gonfler (v.)	to inflate	gonfiare	aufpumpen	inflar	φουσκώνω
12	gorge (n. f.)	throat	gola	der Hals	garganta	λαιμός
7	goûter (v.)	to taste	gustare	probieren (essen)	probar	δοκιμάζω
6	grand, e (adj.)	big	grande	groß	gran/de	μεγάλος/η/ο
7	grand-parent (n. m.)	grandparent	nonno/a	die Großeltern	abuelo	παπούδες
5	gratuit, e (adj.)	free	gratuito/a	kostenlos	gratis	δωρεάν
2	grec, que (adj.)	Greek	greco/a	griechisch	griego/a	Έλληνας/ίδα - ελληνικός/ή/ό
12	grippe (n. f.)	flu	influenza	die Grippe	gripe	γρίππη
9	gris, e (adj.)	grey	grigio/a	grau	gris	γκρίζος/α/ο
5	guichet (n. m.)	ticket office	biglietteria	der Schalter	ventanilla	γκισέ

H – I

1	habiter (v.)	to live	abitare a/in	wohnen	vivir	κατοικώ
11	héler (v.)	to hail	chiamare	rufen, anhalten	llamar desde lejos	φωνάζω
12	heureusement (adv.)	fortunately	fortunatamente	zum Glück	menos mal	ευτυχώς
4	heure (n. f.)	o'clock, hour	ora	die Stunde, die Uhr	hora	ώρα
14	heure supplémentaire (n. f.)	overtime	ora straordinaria	die Überstunde	hora extraordinaria	υπερωρία
12	heurter (v.)	to hit	urtare	rammen	chocar	τρακάρω
4	hier (adv.)	yesterday	ieri	gestern	ayer	χθες
4	hiver (n. m.)	winter	inverno	der Winter	invierno	Χειμώνας
9	homme (n. m.)	man	uomo	der Mann	hombre	άνδρας
1	homme d'affaires (n. m.)	businessman	uomo d'affari	der Geschäftsmann	hombre de negocios	επιχειρηματίας
2	hongrois, e (adj.)	Hungarian	ungherese	ungarisch	húngaro/a	Ούγγρος/αρέζα - ουγγρικός/ή/ό
9	hôpital (n. m.)	hospital	ospedale	das Krankenhaus	hospital	νοσοκομείο
14	horaire (n. m.)	working hours	orario	der Zeitplan	horario	ωράριο
3	hôtel (n. m.)	hotel	albergo	das Hotel	hotel	ξενοδοχείο
9	hôtel de ville (n. m.)	town hall	municipio	das Rathaus	ayuntamiento	δημαρχείο
10	huile (n. f.)	oil	olio	das Öl	aceite	λάδι
4	ici (adv.)	here	qui	hier	aquí	εδώ
9	implanter (v.)	to establish	impiantare	ansiedeln	implantar	εγκαθιστώ
7	important, e (adj.)	important	importante	wichtig	importante	σημαντικός/ή/ό
9	importateur (n. m.)	importer	importatore	der Importeur	importador	εισαγωγέας
8	impôt (n. m.)	tax	imposta	die Steuer	impuesto	φόρος
14	inconvénient (n. m.)	disadvantage	inconveniente	der Nachteil	inconveniente	μειονέκτημα
12	indication (n. f.)	indication	indicazione	der Hinweis	indicación	υπόδειξη
11	indiqué, e (adj.)	displayed, indicated	indicato/a	angezeigt	marcado/a	υποδεδειγμένος/η/ο
11	indiquer (v.)	to indicate	indicare	anzeigen	marcar	υποδεικνύω
15	indispensable (adj.)	vital	indispensabile	unerläßlich	indispensable	απαραίτητος/η/ο
12	infection (n. f.)	infection	infezione	die Infektion	infección	μόλυνση
2	informatique (n. f.)	data-processing	informatica	die Informatik	informática	πληροφορική
1	ingénieur (n. m.)	engineer	ingeniere	der Ingenieur	ingeniero	μηχανικός
1	ingénieur commercial (n. m.)	sales engineer	ingeniere commerciale	der Vertriebsingenieur	ingeniero comercial	εμπορικός μηχανικός
1	installer (v.)	to set up	installare	installieren	instalar	εγκαθιστώ
10	interdiction (n. f.)	ban ("no right turn")	divieto	das Verbot	prohibición	απαγόρευση
10	interdit, e (adj.)	forbidden ("no entry")	vietato/a	verboten	prohibido/a	απαγορευμένος/η/ο
11	intéressant, e (adj.)	interesting	interessante	interessant	interesante	ενδιαφέρων/ουσα/ον

13	intérêt (n. m.)	interest	interesse	das Interesse	interés	ενδιαφέρον
15	intermédiaire (n. m.)	intermediary	intermediario	durch Vermittlung von	por medio de	μέσο
8	international, e (adj.)	international	internazionale	international	internacional	διεθνής/ές
9	interroger (v.)	to ask	interrogare	befragen	preguntar	ερωτώ
8	introduire (v.)	to insert	introdurre	einführen	introducir	εισάγω
7	inviter (v.)	to invite	invitare	einladen	invitar	προσκαλώ
2	irlandais, e (adj.)	Irish	irlandese	irisch	irlandés/a	Ιρλανδός/έζα - ιρλανδικός/ή/ό
1	italien, ne (adj.)	Italian	italiano/a	italienisch	italiano/a	Ιταλός/ίδα - ιταλικός/ή/ό

11	jamais (adv.)	never	mai	nie	nunca	ποτέ
12	jambe (n. f.)	leg	gamba	das Bein	pierna	πόδι
7	jambon (n. m.)	ham	prosciutto	der Schinken	jamón	ζαμπόν
4	janvier (n. m.)	January	gennaio	der Januar	enero	Ιανουάριος
1	japonais, e (adj.)	Japanese	giapponese	japanisch	japonés/a	Ιάπωνας/έζα - ιαπωνικός/ή/ό
9	jaune (adj.)	yellow	giallo/a	gelb	amarillo/a	κίτρινος/η/ο
4	jeudi (n. m.)	Thursday	giovedì	der Donnerstag	jueves	Πέμπτη
13	joindre (v.)	to get hold of	raggiungere	erreichen	encontrar	επικοινωνώ
9	joli, e (adj.)	pretty	carino/a	hübsch	bonito/a	ωραίος/α/ο
9	jouet (n. m.)	toy	giocattolo	das Spielzeug	juguete	παιχνίδι
14	journal (n. m.)	newspaper	giornale	die Zeitung	periódico	εφημερίδα
4	juillet (n. m.)	July	luglio	der Juli	julio	Ιούλιος
4	juin (n. m.)	June	giugno	der Juni	junio	Ιούνιος
9	jupe (n. f.)	skirt	gonna	der Rock	falda	φούστα
7	jus de fruits (n. m.)	fruit juice	succo di frutta	der Obstsaft	zumo de frutas	φρουτοχυμός
4	jusqu'à (prép.)	as far as	fino a	bis	hasta	μέχρι
11	justement (adv.)	in fact	esattamente	gerade, eben, ja	justamente	ακριβώς
9	juste (adv.)	just	proprio	genau	justo	ακριβώς
5	là-bas (adv.)	down there	laggiù	dort unten	allí	εκεί κάτω
15	lâcher (v.)	to let go of	mollare	fallen lassen	dejar caer	αφήνω
7	lait (n. m.)	milk	latte	die Milch	leche	γάλα
14	langue (n. f.)	language	lingua	die Sprache	idioma	γλώσσα
10	laver (v.)	to wash	lavare	waschen	lavar	πλένω
9	lettre (n. f.)	letter	lettera	der Brief	carta	γράμμα
14	lettre recommandée (n. f.)	registered letter	lettera raccomandata	der Einschreibebrief	carta certificada	συστημένο γράμμα
9	librairie (n. f.)	book shop	libreria	die Buchhandlung	librería	βιβλιοπωλείο
14	lieu (n. m.)	place	luogo	der Ort	lugar	τόπος
11	ligne (n. f.)	line	linea	die Linie	línea	γραμμή
6	lit (n. m.)	bed	letto	das Bett	cama	κρεβάτι
13	livraison (n. f.)	delivery	consegna	die Lieferung	entrega	παράδοση
9	livre (n. m.)	book	libro	das Buch	libro	βιβλίο
10	livrer (v.)	to deliver	consegnare	liefern	entregar	παραδίδω
10	local, e (adj.)	local	locale	örtlich	local	τοπικός/ή/ό
10	location (n. f.)	renting	noleggio	die Vermietung	alquiler	ενοικίαση
6	logement (n. m.)	accommodation	alloggio	die Wohnung	alojamiento	κατοικία
10	longtemps (adv.)	a long time	(per) molto tempo	lange	mucho tiempo	μακρόχρονα
9	lors de (adv.)	during	in occasione di	anläßlich	en	κατά τη διάρκεια
6	louer (v.)	to rent	affittare	mieten	alquilar	ενοικιάζω
6	loyer (n. m.)	rent	affitto	die Miete	alquiler	ενοίκιο
4	lundi (n. m.)	Monday	lunedí	der Montag	lunes	Δευτέρα

M

1	madame (n. f.) (pl. : mesdames)	Madam, Mrs	signora/e	Frau, en	señora / señoras	κυρία / κυρίες
2	mademoiselle (n. f.)	Miss	signorina	Fräulein	señorita	δεσποινίς
9	magasin (n. m.)	shop, store	negozio	das Geschäft	tienda	κατάστημα
4	mai (n. m.)	May	maggio	der Mai	mayo	Μάιος

12	main (n. f.)	hand	mano	die Hand	mano	χέρι
10	mais (conj.)	but	ma	aber	pero	αλλά
1	maison-mère (n. f.)	parent company	casa madre	das Stammhaus	casa central	μητρικός οίκος
12	maladie (n. f.)	disease	malattia	die Krankheit	enfermedad	ασθένεια
13	malheureusement (adv.)	unfortunately	disgraziatamente	leider	lamentablemente	δυστυχώς
7	manger (v.)	to eat	mangiare	essen	comer	τρώω
15	manifestation (n. f.)	event	manifestazione	die Veranstaltung	presentación de una promoción	εκδήλωση
10	marchandise (n. f.)	goods	merce	die Ware	mercancía	εμπόρευμα
11	marcher (v.)	to function	funzionare	funktionnieren, gehen	funcionar	λειτουργώ
4	mardi (n. m.)	Tuesday	martedì	der Dienstag	martes	Τρίτη
2	mari (n. m.)	husband	marito	der Ehemann	marido	σύζυγος
10	marque (n. f.)	brand	marca	die Marke	marca	μάρκα
4	mars (n. m.)	March	marzo	der März	marzo	Μάρτιος
13	matin (n. m.)	morning	mattina	der Morgrn	mañana	πρωί
10	maximum (n. m.)	at the most	massimo	das Maximum	máximo	μάξιμουμ
12	médecin (n. m.)	doctor	medico	der Arzt	médico	γιατρός
12	médical, e (adj.)	medical	medico/a	ärztlich	médico/a	ιατρικός/ή/ό
12	médicament (n. m.)	medecine	medicina	das Arzneimittel	medicina	φάρμακο
11	meilleur marché (adj. inv.)	cheaper	più vantaggioso/a	billiger	más barato	φθηνότερος/η/ο
7	melon (n. m.)	melon	melone	die Melone	melón	πεπόνι
6	même (adv.)	even	anche	sogar	incluso	ακόμη
14	mensuel, le (adj.)	monthly	mensile	monatlich	mensual	μηνιαίος/α/ο
12	menton (n. m.)	chin	mento	das Kinn	barbilla	σαγόνι
7	menu (n. m.)	menu	menù	das Menu	menú	μενού
4	mercredi (n. m.)	Wednesday	mercoledì	der Mittwoch	miércoles	Τετάρτη
2	mère (n. f.)	mother	madre	die Mutter	madre	μητέρα
7	métier (n. m.)	job, profession	mestiere	der Beruf	profesión	επάγγελμα
5	métro (n. m.)	underground	metrò	die Metro	metro	μετρό
9	meuble (n. m.)	a piece of furniture	mobile	das Möbelstück	mueble	έπιπλο
6	meublé, e (adj.)	furnished	ammobiliato/a	möbliert	amueblado/a	επιπλωμένος/η/ο
1	mexicain, e (adj.)	Mexican	messicano/a	mexikanisch	mexicano/a	Μεξικάνος/α - μεξικάνικος/η/ο
10	minimum (n. m.)	minimum	minimo	das Minimum	mínimo	μίνιμουμ
10	minute (n. f.)	minute	minuto	die Minute	minuto	λεπτό
9	modèle (n. m.)	style, model	modello	das Model	modelo	μοντέλο
9	moins (adv.)	less	meno	weniger	menos	λιγότερο
4	mois (n. m.)	month	mese	der Monat	mes	μήνας
14	moment (n. m.)	moment	momento	das Moment	momento	στιγμή
7	monde (n. m.)	world	mondo	die Welt	mundo	κόσμος
5	monnaie (n. f.)	change	moneta	das Kleingeld	suelto	ψιλά
1	monsieur (n. m.) (pl. : messieurs)	Sir, Mr	signore/i	Herr, en	señor señores	κύριος, κύριοι
8	montant (n. m.)	amount	importo	der Betrag	importe	ποσό
5	monter	to get in	montare	einsteigen	montar	ανεβαίνω
12	moto (n. f.)	motorcycle	moto	das Motorrad	moto	μοτοσικλέτα
12	motocycliste (n. m./f.)	motorcyclist	motociclista	der Motorradfahrer	motorista	μοτοσικλετιστής
11	musée (n. m.)	museum	museo	das Museum	museo	μουσείο
7	musique (n. f.)	music	musica	die Musik	música	μουσική

N

2	nationalité (n. f.)	nationality	nazionalità	die Nationalität	nacionalidad	εθνικότητα
6	navette aéroport (n. f.)	aiport shuttle	navetta per l'aeroporto	Pendelverkehr zum Flughafen	autobús de aeropuerto	λεωφορείο αεροδρομίου
12	nez (n. m.)	nose	naso	die Nase	nariz	μύτη
10	niveau (n. m.)	level	livello	das Niveau	nivel	στάθμη
7	noir, e (adj.)	black	nero/a	schwarz	negro/a	μαύρος/σκέτος (χωρίς ζάχαρη)
2	nom (n. m.)	name	cognome	die Norm	apellido	όνομα

5	nombre (n. m.)	number	numero	die Zahl	número	αριθμός
10	nombreux, euse (adj.)	numerous	numeroso/a	zahlreich	numerosos/as	πολυάριθμος/η/ο
11	nord (n. m.)	north	nord	der Norden	norte	Βορράς
10	normal, e (adj.)	normal ("two-star petrol")	normale	normal	normal	φυσιολογικός/ή/ό
12	notice (n. f.)	directions for use	avvertenza	der Hinweis	reseña	σημείωση
1	nouveau, elle (adj.)	new	nuovo/a	neu	nuevo/a	καινούργιος/α/ο
4	novembre (n. m.)	November	novembre	der November	noviembre	Νοέμβριος
3	nuit (n. f.)	night	notte	die Nacht	noche	νύχτα
3	numéro (n. m.)	number	numero	die Nummer	número	νούμερο
12	nuque (n. f.)	nape (of the neck)	nuca	der Nacken	nuca	αυχένας

O – P

14	obtenir (v.)	to obtain	ottonoro	orhalten	informarse	λαμβάνω
4	octobre (n. m.)	October	ottobre	der Oktober	octubre	Οκτώβριος
12	œil (n. m.) (pl. : yeux)	eye	occhio	das Auge	ojo	μάτι
9	office du tourisme (n. m.)	tourist information office	ufficio del turismo	das Fremdenverkehrsamt	oficina de turismo	γραφείο τουρισμού
10	offrir (v.)	to offer	offrire	anbieten	ofrecer	προσφέρω
9	orange (adj.)	orange	arancione	orange	naranja	πορτοκαλής/ιά/ί
12	ordonnance (n. f.)	prescription	ricetta medica	das Rezept	receta médica	ιατρική συνταγή
12	oreille (n. f.)	ear	orecchio	das Ohr	oreja	αυτί
15	organisé, e (adj.)	packaged (tour)	organizzato/a	organisiert	organizado/a	οργανωμένος/η/ο
15	organiser (v.)	to organize	organizzare	organisieren	organizar	οργανώνω
3	ou (conj.)	or	o	oder	o	ή
2	où (adv.)	where	dove	wo	donde	όπου
11	ouest (n. m.)	west	ovest	der Westen	oeste	Δύση
6	ouvert, e (adj)	open	aperto/a	geöffnet	abierto/a	ανοικτός/ή/ό
8	ouvrir (v.)	to open	aprire	öffnen	abrir	ανοίγω
10	panne (n. f.)	breakdown	guasto	die Panne	avería	βλάβη
11	panneau (n. m.)	signpost	cartello	das Schild	señal	πινακίδα
9	pantalon (n. m.)	trousers	calzoni	die Hose	pantalón	παντελόνι
9	papeterie (n. f.)	stationer's	cartoleria	das Schreib-warengeschäft	papelería	χαρτοπωλείο
13	papier (n. m.)	paper	carta	das Papier	papel	χαρτί
10	papiers (d'identité) (n. m. p.)	identity papers	documenti d'identità	der Personalausweis	documentos (de identidad)	χαρτιά (πιστοποιητικά ταυτότητας)
6	parc (n. m.)	park	parco	der Park	parque	πάρκο
6	par (prép.)	per	al	pro	por	ανά
11	par exemple (loc.)	for instance	per esempio	zum Beispiel	por ejemplo	γιά παράδειγμα
10	pare-brise (n. m.)	windscreen	parabrezza	die Windschutzscheibe	parabrisas	παρμπρίζ
11	pareil, le (adj.)	same	uguale	gleich	igual	ίδιος/α/ο
2	parent (n. m.)	parent, relative	genitore	ein Elternteil	pariente	γονιός
9	parfumerie (n. f.)	perfume shop	profumeria	die Parfümerie	perfumería	αρωματοπωλείο
9	parfum (n. m.)	perfume	profumo	das Parfüm	perfume	άρωμα
3	parking (n. m.)	car park	parcheggio	der Parkplatz	aparcamiento	πάρκινγκ
1	parler (v.)	to speak	parlare	sprechen	hablar	μιλώ
11	particulièrement (adv.)	particularly	particolarmente	besonders	particularmente	ιδιαίτερα
4	partir (v.)	to leave	partire	abgehen, weggehen	salir	φεύγω
7	partout (adv.)	everywhere	ovunque	überall	por todas partes	παντού
14	pas du tout (loc. adv.)	not at all	niente affatto	absolut nicht	de ninguna manera	καθόλου
5	passager (n. m.) (fém. : passagère)	passenger	passeggero/a	der Passagier	pasajero pasajera	περαστικός/ή
9	passant, e (n. m., f.)	passer-by	passante	der Passant, in	transeúnte	περαστικός/ή
6	passeport (n. m.)	passport	passaporto	der Reisepaß	pasaporte	διαβατήριο
6	passer (v.)	to spend	passare	verbringen	pasar	περνώ
7	passion (n. f.)	passion	passione	die Leidenschaft	pasión	πάθος
12	paume (n. f.)	palm	palmo	der Handteller	palma	παλάμη
8	payer (v.)	to pay	pagare	bezahlen	pagar	πληρώνω
7	pays (n. m.)	country	paese	das Land	país	χώρα
8	pendant (prép.)	for	durante	während	durante	κατα τη διάρκεια

9	penser (v.)	to think	pensare	denken	creer	σκέπτομαι
2	père (n. m.)	father	padre	der Vater	padre	πατέρας
6	permis de conduire (n. m.)	driving licence	patente	der Führerschein	carnet de conducir	άδεια οδήγησης
3	personne (n. f.)	person	persona	die Person	persona	άτομο
2	personnel (n. m.)	staff	personale	persönlich	personal	προσωπικό
2	petit, e (adj.)	small	piccolo/a	klein	pequeño/a	μικρός/ή/ό
6	petit déjeuner (n. m.)	breakfast	colazione	das Frühstück	desayuno	πρωινό
12	pharmacie (n. f.)	chemist's	farmacia	die Apotheke	farmacia	φαρμακείο
12	pharmacien, ne (n. m., f.)	chemist	farmacista	der Apotheker, in	farmacéutico/a	φαρμακοποιός
7	pichet (n. m.)	jug	brocca (per il vino)	der Krug	jarrita	κανάτι
6	pièce d'identité (n. f.)	identity card	documento d'identità	der Personalausweis	documento nacional de identidad	στοιχείο ταυτότητας
10	pièce détachée (n. f.)	spare part	pezzo separato	das Ersatzteil	pieza de repuesto	ανταλλακτικό
12	pied (n. m.)	foot	piede	der Fuß	pie	πόδι
6	piscine (n. f.)	swimming pool	piscina	das Schwimmbad	piscina	πισίνα
9	place (n. f.)	square	piazza	der Platz	plaza	πλατεία
9	plaire (v.)	to please ("I like the pink blouse a lot")	piacere	gefallen	gustar	ευχαριστώ
9	plan (n. m.)	street map	pianta	der Plan	plano	χάρτης
7	plat (n. m.)	dish	piatto	das Gericht	plato	πιάτο
10	plein (n. m.) faire le ~	full (tank of petrol)	pieno	volltanken	depósito lleno	γεμάτος/η/ο
10	plomb (n. m.)	lead	piombo	das Blei	plomo	μόλυβδος
12	plus tard (adv.)	later	più tardi	später	más tarde	αργότερα
6	plusieurs (adj. indéf.)	several	parecchi/parecchie	mehrere	varios/as	πολλά
14	plutôt (adv.)	in fact, more	piuttosto	eher	más bien	κυρίως
10	pneu (n. m.)	tyre	pneumatico	der Reifen	neumático	λάστιχο (αυτοκινήτου)
12	poignet (n. m.)	wrist	polso	das Handgelenk	muñeca	καρπός (χεριού)
7	poivre (n. m.)	pepper	pepe	der Pfeffer	pimienta	πιπέρι
1	polonais, e (adj.)	Polish	polacco/a	polnisch	polaco/a	Πολωνός/έζα - πολωνικός/ή/ό
7	pomme (n. f.)	apple	mela	der Apfel	manzana	μήλο
10	pompiste (n. m./f.)	petrol pump attendant	benzinaio	der Tankstellenwart	encargado de la gasolina	βενζινάς
9	pont (n. m.)	bridge	ponte	die Brücke	puente	γέφυρα
2	portugais, e (adj.)	Portuguese	portoghese	portugiesisch	portugués/a	Πορτογάλος/ίδα - πορτογαλικός/ή/ό
14	poser (v.)	to ask (a question)	porre (una domanda)	stellen, legen	preguntar	θέτω
12	posologie (n. f.)	posology	posologia	die Posologie	posología	δοσολογία
14	possibilité (n. f.)	possibility	possibilità	die Möglichkeit	posibilidad	δυνατότητα
14	poste (n. m.)	job	posto	die Arbeitsstelle	puesto	θέση
13	potentiel, le (adj.)	potential	potenziale	potentiell	potencial	δυνητικός/ή/ό
7	poulet (n. m.)	chicken	pollo	das Huhn	pollo	κοτόπουλο
1	pour (prép.)	for	per	für	para	γιά
14	pourquoi (adv.)	why	perché	warum	porque	γιατί
4	pouvoir (v.)	to be able	potere	können	poder	μπορώ
8	pratique (adj.)	convenient	pratico/a	praktisch	práctica	πρακτικός/ή/ό
7	préférer (v.)	to prefer	preferire	vorziehen	preferir	προτιμώ
5	premier, ère	first	primo/a	erste	primer/a	πρώτος/η/ο
3	prendre (v.)	to take	prendere	nehmen	coger	παίρνω
2	prénom (n. m.)	first name	nome	der Vorname	nombre	όνομα
12	prescription (n. f.)	prescription	prescrizione	die Verordnung	prescripción	συνταγή
10	présenter (v.)	to produce, show	presentare	vorzeigen, vorstellen	presentar	παρουσιάζω
10	pression (n. f.)	pressure	pressione	der Druck	presión	πίεση
14	prévenir (v.)	to give advance notice, warn	avvisare	benachrichtigen	avisar	προειδοποιώ
4	printemps (n. m.)	spring	primavera	der Frühling	primavera	Άνοιξη
11	prix (n. m.)	price	prezzo	der Preis	precio	τιμή
14	problème (n. m.)	problem	problema	das Problem	problema	πρόβλημα
4	prochain, e (adj.)	next	prossimo/a	nächste	próximo/a	ερχόμενος/η/ο
15	proche (adj.)	near	vicino/a	nahe	cerca	κοντινός/ή/ό
7	produit (n. m.)	food, produce, product	prodotto	das Produkt	producto	προιόν

2	profession (n. f.)	job, profession	professione	der Beruf	profesión	επάγγελμα
14	professionnel, le (adj.)	professional	professionale	beruflich	profesional	επαγγελματικός/ή/ό
15	programme (n.m.)	programme	programma	das Programm	programa	πρόγραμμα
15	promotionnel, le (adj.)	promotional	promozionale	verkaufsfördernd	promocional	προμηθευτικός/ή/ό
6	proposer (v.)	to offer	proporre	vorschlagen	proponer	προτείνω
11	propre (adj.)	clean	pulito/a	sauber	limpio/a	καθαρός/ή/ό
7	propriétaire (n. m./f.)	owner	proprietario/a	der Inhaber	propietario/a	ιδιοκτήτης
13	prospecter (v.)	to canvass	sondare	Kundenwerbung treiben	prospectar	αναζητώ
15	publicité (n. f.)	advertising	pubblicità	die Werbung	publicidad	διαφήμιση
9	puis (adv.)	then	poi	dann	después	μετά

Q – R

5	quai (n. m.)	platform	binario	der Bahnsteig	andén	αποβάθρα
9	quai (n. m.)	embankment	banchina	das Ufer	muelle	όχθη
13	qualifié, e (adj.)	qualified	qualificato/a	qualifiziert	cualificado/a	ειδικευμένος
6	quand même (loc.)	even so	in ogni caso	trotzdem	bueno, pero…	παρόλα ταύτα
7	quelque chose (pr. indéf.)	something	qualche cosa	etwas	algo	κάτι
8	quittance (n. f.)	receipt	quietanza	die Quittung	recibo	εξόφληση
5	R.E.R. (n. m.)	high-speed suburban train service (Paris)	servizio ferroviario rapido regionale (Parigi)	eine Art Schnellbahn	Red de trenes rápidos de la región parisiense	Περιφερειακό Δίκτυο Ταχείας Κυκλοφορίας
11	rapide (adj.)	fast	rapido/a	schnell	rápido/a	γρήγορος/η/ο
7	rapidement (adv.)	quickly	rapidamente	schnell	rápidamente	γρήγορα
13	rappeler (v.)	to call back	richiamare	zurückrufen	llamar de nuevo	υπενθυμίζω
9	rayon (n. m.)	department	reparto	die Abteilung	sección	τμήμα
1	réception (n. f.)	reception desk	ricevimento	der Empfang	recepción	υποδοχή
1	réceptionniste (n. m./f.)	receptionist	addetto/a al ricevimento	der Mann/ Frau am Empfang	recepcionista	ρεσεψιονίστ
7	recette (n. f.)	recipe	ricetta	das Rezept	receta	συνταγή
11	recevoir (qqu'un) (v.)	to see	ricevere	empfangen	recibir	υποδέχομαι
9	recevoir (v.)	to receive	ricevere	bekommen	recibir	λαμβάνω
15	rechercher (v.)	to look for	cercare	suchen	buscar	ψάχνω
9	réclamation (n. f.)	complaint	reclamo	die Reklamation	reclamación	αίτημα
15	recommander (v.)	to recommend	raccomandare	empfehlen	recomendar	παραγγέλνω
11	record (n. m.)	record ("record-breaking")	record	der Rekord	récord	ρεκόρ
10	reçu (n. m.)	receipt	ricevuta	die Quittung	recibo	απόδειξη
15	référence (n. f.)	reference	referenza	die Referenz	referencia	αναφορά/στοιχείο
6	regarder (v.)	to look at	guardare	betrachten	mirar	κοιτάζω
7	région (n. f.)	region	regione	die Region	región	περιφέρεια
10	régler (v.)	to pay, settle	pagare	bezahlen	pagar	κανονίζω
11	relier (v.)	to connect	collegare	verbinden	enlazar	συνδέω
12	rembourser (v.)	to reimburse	rimborsare	zurückzahlen	reembolsar	εξοφλώ
13	remise (n. f.)	discount	riduzione	der Nachlaß	descuento	έκπτωση
6	remplir (v.)	to fill in	compilare	ausfüllen	rellenar	συμπληρώνω
1	rencontrer (v.)	to meet	incontrare	treffen	encontrar	συναντώ
1	rendez-vous (n. m.)	appointment	appuntamento	der Termin	cita	ραντεβού
10	rendre (v.)	to return	restituire	zurückgeben	devolver	επιστρέφω
8	rendre visite (v.)	to pay a visit	rendere visita	besuchen	visitar	επισκέπτομαι (κάποιον)
9	renseignement (n. m.)	information	informazione	die Auskunft	información	πληροφορία
5	renseigner	to give information	informare	Auskunft geben	informar	πληροφορώ
13	réparation (n. f.)	repair, repairing	riparazione	die Reparatur	reparación	επισκευή
10	réparer (v.)	to mend	riparare	reparieren	reparar	επισκευάζω
7	repas (n. m.)	meal	pasto	das Essen	comida	γεύμα
7	repas d'affaires (n. m.)	business meal	colazione d'affari	das Geschäftsessen	comida de negocios	επαγγελματικό γεύμα
3	réservation (n. f.)	reservation	prenotazione	die Reservierung	reserva	κράτηση
6	réservé, e (adj.)	reserved	prenotato/a	reserviert	reservado/a	κρατημένος/η/ο
3	réserver (v.)	to reserve	prenotare	reservieren	reservar	κρατώ
14	responsabilité (n. f.)	responsibility	responsabilità	die Verantwortung	responsabilidad	υπευθυνότητα
2	restaurant (n. m.)	restaurant	ristorante	das Restaurant	restaurante	εστιατόριο

15	restauration (n. f.)	catering	ristorazione	der Restaurationsbe-trieb	restauración	σίτιση
8	retirer (v.)	to remove, take out	ritirare	zurücknehmen	recoger	τραβώ
	retirer de l'argent	to withdraw money	ritirare del danaro	Geld abheben	sacar dinero	παίρνω (χρήματα)
4	retour (n. m.)	return	ritorno	die Rückkehr	vuelta	επιστροφή
14	retourner (v.)	to return	rimandare	zurückschicken	devolver	επιστρέφω
10	rétréci, e (adj.)	(made) narrow	ristretto/a	verengt	estrechado/a	συντομευμένος/η/ο
4	revenir (v.)	to come back	ritornare	zurückkommen	volver	επιστρέφω
12	réverbère (n. m.)	street lamp	lampione	die Straßenlaterne	farola	κολώνα ηλεκτρικού
9	rez-de-chaussée (n. m.)	ground floor	pianterreno	das Erdgeschoß	planta baja	ισόγειο
10	rien (pr. indéf.)	nothing	niente	nichts	nada	τίποτα
9	robe (n. f.)	dress	abito	das Kleid	vestido	φόρεμα
9	rose (adj.)	pink	rosa	rosa	rosa	ροζ
10	roue (n. f.)	wheel	ruota	das Rad	rueda	τροχός
7	rouge (adj.)	red	rosso/a	rot	rojo/a	κόκκινος/η/ο
11	rouler (v.)	to run, operate	viaggiare	fahen	circular	κυκλοφορώ
2	roumain, e (adj.)	Rumanian	romeno/a	rumänisch	rumano/a	Ρουμάνος/α - ρουμανικός/ή/ό
9	route (n. f.)	road	strada	die Straße	carretera	δρόμος
9	rue (n. f.)	street	via	die Straße	calle	οδός

s

1	s'appeler (v.)	to be called	chiamarsi	heißen	llamarse	ονομάζομαι
10	s'arrêter (v.)	to stop	fermarsi	anhalten	pararse	σταματώ
12	S.A.M.U. (n. m.)	*Emergency Ambulance Service*	*servizio medico di urgenza*	*Notarzt*	*Servicio móvil de ayudas médicas*	Κέντρο Άμεσης Βοήθειας
7	saignant, e (adj.)	rare	al sangue	blutend, nicht durch	poco hecho/a	ελαφρά ψημένος/η/ο
4	saison (n. f.)	season	stagione	die Jahreszeit	estación	εποχή
8	salaire (n. m.)	salary	salario	das Gehalt	salario	μισθός
10	sale (adj.)	dirty	sporco/a	schmutzig	sucio/a	βρώμικος/η/ο
3	salle de bains (n. f.)	bathroom	bagno	das Badezimmer	cuarto de baño	μπάνιο
6	salle de sport (n. f.)	gymnasium	palestra	die Sporthalle	gimnasio	γυμναστήριο
9	salon d'essayage (n. m.)	fitting room	sala di prova	die Umkleidekabine	probador	δοκιμαστήριο
9	salon de coiffure (n. m.)	hairdressing salon	salone di acconciatura	der Frisörsalon	peluquería	κομμωτήριο
4	samedi (n. m.)	Saturday	sabato	der Samstag	sábado	Σάββατο
7	sandwich (n. m.)	sandwich	panino	das belegte Brot	bocadillo	σάντουιτς
10	sans (prép.)	without	senza	ohne	sin	δίχως
6	sauna (n. m.)	sauna	sauna	die Sauna	sauna	σάουνα
11	savoir (v.)	to know	sapere	wissen	saber	ξέρω
15	savoir gré	to be grateful	essere grato	dankbar sein	agradecer	υποχρεούμαι
15	se blesser (v.)	to injure oneself	ferirsi	sich verletzen	herirse	τραυματίζομαι
14	se conformer (v.)	to conform to	conformarsi	sich halten an	conformarse	προσαρμόζομαι
1	se présenter (v.)	to introduce oneself	presentarsi	sich vorstellen	presentarse	παρουσιάζομαι
12	secours (n. m.)	help, assistance	soccorso	die Hilfe	socorro	βοήθεια
1	secrétaire (n. f.)	secretary	segretaria	die Sekretärin	secretaria	γραμματέας
6	séjour (n. m.)	stay	soggiorno	der Aufenthalt	estancia	παραμονή
11	selon (prép.)	depending on	secondo	je nach	según	σύμφωνα με
4	semaine (n. f.)	week	settimana	die Woche	semana	εβδομάδα
10	sens (n. m.)	direction ("one way")	senso	die Richtung	dirección	μονόδρομος
4	septembre (n. m.)	September	settembre	der September	septiembre	Σεπτέμβριος
7	serveuse (n. f.)	waitress	cameriera	die Bedienung	camarera	σερβιτόρα
2	service (n. m.)	department	servizio	die Abteilung	servicio	υπηρεσία
6	servir (v.)	to serve	servire	servieren	servir	σερβίρω
3	seulement (adv.)	only	solamente	nur	solamente	μόνο
11	signalé, e (adj.)	indicated, marked	segnalato/a	signalisiert	indicado/a	υποδεδειγμένος/η/ο
8	signature (n. f.)	signature	firma	die Unterschrift	firma	υπογραφή
8	signer (v.)	to sign	firmare	unterschreiben	firmar	υπογράφω
8	simple (adj.)	easy	semplice	einfach	simple	απλός/ή/ό
8	simplifier (v.)	to simplify	semplificare	vereinfachen	simplificar	απλοποιώ
12	sirop (n. m.)	syrup	sciroppo	der Sirup	jarabe	σιρόπι

1 société (n. f.)	company	società	die Firma	sociedad	εταιρεία
2 sœur (n. f.)	sister	sorella	die Schwester	hermana	αδελφή
11 soir (n. m.)	evening	sera	der Abend	noche	βράδυ
12 sommeil (n. m.)	sleep	sonno	der Schlaf	sueño	ύπνος
12 souffrir (v.)	to suffer	soffrire	leiden	sufrir	υποφέρω
15 souhaitable (adj.)	desirable	auspicabile	wünschenswert	aconsejable	επιθυμητός/ή/ό
15 souhaiter (v.)	to hope	desiderare	wünschen	desear	εύχομαι
9 sous-sol (n. m.)	basement	seminterrato	das Untergeschoß	sótano	υπόγειο
14 sous réserve de (loc.)	suject to	salvo	unter Vorbehalt	a reserva de	με την προυπόθεση να
6 spacieux, se (adj.)	spacious	spazioso/a	geräumig	espacioso/a	ευρύχωρος/η/ο
13 spécialiste (n. m./f.)	specialist	specialista	der Fachmann	especialista	ειδικός/ή/ό
7 spécialité (n. f.)	speciality	specialità	die Spezialität	especialidad	σπεσιαλιτέ
9 sportif, ve (adj.)	athletic	sportivo/a	sportlich	deportivo/a	αθλητικός/ή/ό
2 standardiste (n. m./f.)	switchboard operator	centralinista	die Telefonistin	telefonista	τηλεφωνητής/ρια
5 station (n. f.)	station	stazione	die Station	estacion	στάση
10 station-service (n. f.)	service station	stazione di servizio	die Tankstelle	estación de servicio	βενζινάδικο
10 stationnement (n. m.)	parking	stazionamento	das Parken	estacionamiento	στάθμευση
7 steak (n. m.)	steak	bistecca	das Steak	bistec	μπριζόλα
14 sténo (n. f.)	shorthand	stenografia	die Stenographie	taquimecanógrafía	στενογραφία
14 sténodactylo (n. f.)	shorthand typist	stenodattilografa	die Stenotypistin	taquimecanógrafa	στενοδακτυλογράφος
14 stock (n. m.)	stock	stock	das Lager	existencias	στοκ
6 studio (n. m.)	one-roomed flat	monolocale	Zimmer Appartement	estudio	γκαρσονιέρα
12 sucer (v.)	to suck	succhiare	lutschen	chupar	πιπιλώ
11 sud (n. m.)	south	sud	der Süden	sur	Νότος
15 suggestion (n. f.)	suggestion	suggerimento	der Vorschlag	sugestión	παραγγελία
2 suisse (adj.)	Swiss	svizzero/a	schweizer	suizo/a	Σουηδός/έζα - σουηδικός/ή/ό
5 suivre (v.)	to follow	seguire	folgen	seguir	ακολουθώ
11 supplément (n. m.)	supplement	supplemento	der Zuschlag	suplemento	επιβάρυνση
14 supplémentaire (adj.)	additional (*"overtime"*)	straordinario/a	zusätzlich	extraordinario/a	επιπλέον
12 surtout (adv.)	above all	soprattutto	besonders	sobre todo	κυρίως
12 symptôme (n. m.)	symptom	sintomo	das Symptom	síntoma	σύμπτωμα
11 système (n. m.)	system	sistema	das System	sistema	σύστημα

T

4 T.G.V. (n. m.)	high-speed train	treno ad alta velocità	der Hochgeschwindigkeitszug	Tren de Alta Velocidad	Τραίνο Υψηλών Ταχυτήτων
6 table (n. f.)	table	tavola	der Tisch	mesa	τραπέζι
9 taille (n. f.)	size	taglia	die Größe	talla	νούμερο
5 tarif (n. m.)	fare, price	tariffa	der Tarif	tarifa	ταρίφα
7 tarte (n. f.)	tart, pie	torta	der Kuchen	tarta	τάρτα
8 taux de change (n. m.)	exchange rate	tasso di cambio	der Wechselkurs	tipo de cambio	επιτόκιο
5 taxi (n. m.)	taxi	taxi	das Taxi	taxi	ταξί
3 télécopie (n. f.)	fax	fax	das Telefax	fax	φαξ
2 téléphone (n. m.)	telephone	telefono	das Telephon	teléfono	τηλέφωνο
1 téléphoner (v.)	to telephone	telefonare	telephonieren	llamar por teléfono	τηλεφωνώ
3 télévision (n. f.)	television	televisione	das Fernsehen	televisión	τηλεόραση
12 témoin (n. m.)	witness	testimone	der Zeuge	testigo	μάρτυρας
11 temps (n. m.)	time	tempo	die Zeit	tiempo	χρόνος
14 terme (n. m.)	term	termine	der Ausdruck	término	όρος
15 test (n. m.)	test	test	der Test	test	τεστ
12 tête (n. f.)	head	testa	der Kopf	cabeza	κεφάλι
7 thé (n. m.)	tea	tè	der Tee	té	τσάι
11 théâtre (n. m.)	theatre	teatro	das Theater	teatro	θέατρο
5 ticket (n. m.)	ticket	biglietto	die Fahrkarte	tique	εισιτήριο
9 toilettes (n. f. p.)	toilet	gabinetto	die Toilette	servicios	τουαλέτα
12 tomber (v.)	to fall	cadere	fallen	caer	πέφτω
15 tour (n. m.)	tour	giro	die Rundfahrt	viaje	γύρος
7 touriste (n. m./f.)	tourist	turista	der Tourist, in	turista	τουρίστας

11	touristique (adj.)	tourist	turistico/a	Touristen...	turístico/a	τουριστικός/ή/ό
12	tournant (n. m.)	bend	curva	die Kurve	curva	στροφή
9	tourner (v.)	to turn	girare	drehen	girar	γυρίζω
12	tousser (v.)	to cough	tossire	husten	toser	βήχω
15	toutefois (adv.)	however	tuttavia	jedoch	no obstante	παρόλα ταύτα
12	toux (n. f.)	cough	tosse	der Husten	tos	βήχας
14	traduction (n. f.)	translation	traduzione	die Übersetzung	traducción	μετάφραση
4	train (n. m.)	train	treno	der Zug	tren	τραίνο
12	traitement (n. m.)	treatment	trattamento	die Behandlung	tratamiento	θεραπεία
11	trajet (n. m.)	route	tragitto	die Strecke	trayecto	διαδρομή
5	transport (n. m.)	transport	trasporto	der Transport	transporte	μεταφορά
10	transporter (v.)	to transport	trasportare	transportieren	transportar	μεταφέρω
14	travail (n. m.)	work	lavoro	die Arbeit	trabajo	δουλειά
1	travailler (v.)	to work	lavorare	arbeiten	trabajar	δουλεύω
9	traverser (v.)	to cross	attraversare	überqueren	atravesar	διασχίζω
3	très (adv.)	very	molto	sehr	muy	πολύ
6	trop (adv.)	too	troppo	zu	demasiado	υπερβολικά
8	trouver (v.)	to find	trovare	finden	encontrar	βρίσκω

U – V – W

12	un peu (adv.)	a little	un po'	ein wenig	un poco	λίγο
11	unité (n. f.)	unit	unità	das Einzelstück	unidad	μονάδα
15	urgences (n. f. p.)	emergency ward	pronto soccorso	die Unfallstation	urgencias	επείγοντα περιστατικά
1	usine (n. f.)	factory	fabbrica	die Fabrik	fábrica	εργοστάσιο
5	vacances (n. f. p.)	holidays	vacanze	die Ferien	vacaciones	διακοπές
5	valable (adj.)	valid	valido/a	gültig	válido/a	ισχύων/ουσα/ον
12	vélo (n. m.)	bicycle	bicicletta	das Fahrrad	bici	ποδήλατο
13	vendre (v.)	to sell	vendere	verkaufen	vender	πουλώ
4	vendredi (n. m.)	Friday	venerdì	der Freitag	viernes	Παρασκευή
2	venir (v.)	to come	venire	kommen	venir	κατάγομαι
5	vente (n. f.)	sale	vendita	der Verkauf	venta	πώληση
12	ventre (n. m.)	stomach	ventre	der Bauch	barriga	κοιλιά
10	vérifier (v.)	to check	verificare	nachsehen	comprobar	ελέγχω
4	vers (prép.)	about	verso	nach, gegen	hacia	περίμου
9	vert, e (adj.)	green	verde	grün	verde	πράσινος/η/ο
9	veste (n. f.)	jacket	giacca	die Weste	chaqueta	σακκάκι
9	vêtement (n. m.)	article of clothing	indumento	das Kleidungsstück	ropa	ρούχο
7	ville (n. f.)	town	città	die Stadt	ciudad	πόλη
7	vin (n. m.)	wine	vino	der Wein	vino	κρασί
10	virage (n. m.)	bend	svolta	die Kurve	curva	στροφή
8	virement (n. m.)	credit transfer	trasferimento	die Überweisung	transferencia	μεταφορά
8	virer (v.)	to transfer	trasferire	überweisen	mandar un giro	μεταφέρω
5	visite (n. f.)	visit	visita	der Besuch	visita	επίσκεψη
1	visiter (v.)	to visit	visitare	besuchen	visitar	επισκέπτομαι
12	vitamine (n. f.)	vitamin	vitamina	das Vitamin	vitamina	βιταμίνη
12	vite (adv.)	fast	veloce	schnell	deprisa	γρήγορα
9	vitrine (n. f.)	shop window	vetrina	das Schaufenster	escaparate	βιτρίνα
6	voici (prép.)	here is/are	ecco (qui)	hier	he aquí	να
5	voilà (prép.)	there is/are	ecco (là)	da	he aquí	να
9	voir (v.)	to see	vedere	sehen	ver	βλέπω
2	voiture (n. f.)	car	automobile	der Wagen	coche	αυτοκίνητο
4	vol (n. m.)	flight	volo	der Flug	vuelo	πτήση
12	volant (n. m.)	steering wheel	volante	das Steuer	volante	τιμόνι
7	vouloir (v.)	to want	volere	wollen	querer	θέλω
5	voyage (n. m.)	trip	viaggio	die Reise	viaje	ταξίδι
5	voyage d'affaires (n. m.)	business trip	viaggio d'affari	die Geschäftsreise	viaje de negocios	επαγγελματικό ταξίδι
14	voyager (v.)	to travel	viaggiare	reisen	viajar	ταξιδεύω
7	voyageur (n. m.)	traveller	viaggiatore	der Reisende	viajero	ταξιδιώτης
11	week-end (n. m.)	weekend	fine settimana	das Wochenende	fin de semana	Σαββατοκύριακο

Imprimé en France par I.M.E. - 25110 Baume-les-Dames
Dépôt légal n° 1411-06/1994 - Collection n° 27 - Edition n° 02
15/4944/3